Les Fourberies
de Scapin

MOLIÈRE

Les Fourberies de Scapin

●

PRÉSENTATION
NOTES
DOSSIER
CHRONOLOGIE
BIBLIOGRAPHIE
de
Coline PIOT

GF Flammarion

© Flammarion, Paris, 2022.
ISBN : 978-2-0802-6219-6

LA CRÉATION STRATÉGIQUE DE LA PETITE COMÉDIE *LES FOURBERIES DE SCAPIN*

Pour la nouvelle saison théâtrale de 1671, deux créations sont proposées par la troupe de Molière au public du Palais-Royal. La première est la très attendue *Psyché*, œuvre toute récente de grande ampleur ayant remporté beaucoup de succès à la cour et que le public parisien a hâte de découvrir à son tour[1]. La seconde est une petite comédie en trois actes intitulée *Les Fourberies de Scapin*, créée le 24 mai 1671 à la suite de la comédie du *Sicilien*, déjà connue, pour compléter la séance théâtrale. Pour surprenant que cela puisse paraître au lecteur contemporain, qui connaît sans doute moins *Psyché* que *Scapin*, en 1671, c'est la grande comédie dite « à machines » qui capte tous les regards et les acclamations des spectateurs, et la création des *Fourberies de Scapin* se fait dans l'ombre de *Psyché*[2]. De plus, en tant que création attendue et

1. La pièce a été créée le 17 janvier 1671 au palais des Tuileries pour le public de la cour ; il faudra toutefois attendre le 24 juillet 1671 pour que la ville puisse la découvrir, le temps que la troupe puisse répéter.
2. Jean Serroy propose une comparaison éclairante des destinées de *Psyché* et des *Fourberies* : alors que la première connut un succès prodigieux lors de sa création, elle ne fut donnée que 291 fois à la

susceptible de rapporter des recettes importantes, *Psyché* prévaut sur les *Fourberies* dans les choix stratégiques du dramaturge et directeur de théâtre, ce qui se ressent sur la composition de la petite comédie. Du point de vue de la scénographie, notamment, le dispositif complexe de *Psyché* impose, par contraste avec les *Fourberies*, un décor presque nu, afin de ne pas charger la scène. De surcroît, Molière partage alors la salle du Palais Royal avec les comédiens italiens ; le décor doit donc être réduit à l'essentiel pour pouvoir être facilement monté et démonté. Du point de vue de l'écriture aussi, la simultanéité de *Psyché* a pu influencer Molière. Très occupé par les répétitions et la préparation de cet événement théâtral, il s'est tourné vers le genre de la petite comédie pour compléter le répertoire de sa troupe et compose rapidement la pièce en adaptant le *Phormion* de Térence, qui lui offre une trame dramatique facilement exploitable.

En 1671, cela fait déjà une dizaine d'années que la scène théâtrale parisienne accueille ce nouveau type de spectacle : la petite comédie [1]. Au début des années 1660, pour répondre à l'évolution du goût d'un public en quête de comédies plus franchement risibles, ce genre vient renouveler l'offre en fusionnant plusieurs traditions et innovations. Il s'agit de pièces courtes, comptant un à trois actes, destinées à faire rire notamment par la multiplication de jeux de scène et la mobilisation d'un

Comédie-Française de 1680 à 1792 ; boudée du public parisien du vivant de Molière, *Les Fourberies de Scapin* est en revanche montée 1 264 fois sur la même période chronologique, soit 4 fois plus souvent. Voir Molière, *Les Fourberies de Scapin*, éd. J. Serroy, Librairie générale française, 1999, p. 106.

1. Sur la naissance de ce genre voir C. Piot, *Rire et comédie. Émergence d'un nouveau discours sur les effets du théâtre au XVIIe siècle*, Genève, Droz, 2020, p. 133-165.

comique de connivence avec le public. Cette forme émerge en 1659 avec *Les Précieuses ridicules*, dont le succès lance une mode sans précédent, laquelle se traduit par la création et la publication d'une soixantaine de petites comédies en dix ans. Molière et tous les comédiens-auteurs de sa génération se mettent à en proposer, souvent en deuxième partie de la séance théâtrale. À la fin des années 1660, cette forme aux contours d'abord indécis s'est dotée de critères et d'une appellation relativement stables[1]. *Les Fourberies de Scapin* appartiennent pleinement à cette catégorie émergente. Pièce courte en trois actes, elle repose essentiellement sur un comique gestuel inspiré de la *commedia dell'arte* et adapté avec talent au goût du public français, tout en s'inscrivant dans l'actualité galante des spectateurs.

L'AMPLIFICATION DES SOURCES

L'adaptation des sources[2] de la pièce se fait selon cette perspective générique. Molière exploite en effet les différents textes en favorisant constamment une accentuation des effets comiques et de l'action sur scène, comme le

---

1. Sur l'émergence du genre et sa progressive identification sous l'expression « petite comédie », voir C. Piot, « "Farce" ou "petite comédie" : les enjeux du processus d'identification d'un nouveau genre (1660-1670) », dans A. Cayuela et M. Vuillermoz (dirs), *Les Mots et les choses du théâtre, France, Italie, Espagne, XVIᵉ-XVIIᵉ siècles*, Genève, Droz, 2017, p. 157-174.

2. Claude Bourqui distingue la source avérée « à titre essentiel » du *Phormion* de Térence de quatre sources « à titre accessoire », plus incertaines : *Le Pédant joué* de Cyrano de Bergerac, *La Sœur* de Jean Rotrou, *La Dupe amoureuse* de Rosimond et un canevas anonyme italien, « Le disgrazie di Pulcinella », voir C. Bourqui, *Les Sources de Molière. Répertoire critique des sources littéraires et dramatiques*, SEDES, 1999, p. 311.

requiert le genre de la petite comédie. Certains passages du *Phormion*, source principale [1] de la comédie, sont très fidèlement repris du texte de Térence ou de sa traduction française [2]. Mais Molière ajoute régulièrement au texte latin des éléments intensifiant le comique, comme la distance amusée du valet devant les transports un peu ridicules de l'amoureux transi ou le jeu de scène des apartés commentant la colère d'Argante. Ce choix d'adaptation est visible jusque dans la structure de la pièce. Afin de créer un comique de répétition à grande échelle, Molière dédouble systématiquement l'intrigue latine : deux pères ont deux fils, chacun aidé par un valet, qui aiment deux jeunes filles, lesquelles se révèlent être toutes deux également les filles respectives des vieillards. Ce système permet des séries similaires en trois temps : préparation de la fourberie, action et conséquences de celle-ci. Ainsi par exemple de la ruse employée pour soutirer l'argent aux deux vieillards : là où la comédie latine ne présentait qu'une scène permettant à l'esclave de soustraire aux pères des amoureux la somme désirée, Molière met au cœur du deuxième acte les deux stratagèmes successifs visant à tromper Argante d'abord, puis Géronte. Localement, ce dédoublement est souligné par des répliques parallèles des deux vieillards :

---

1. Voir C. Bourqui, *Les Sources de Molière, op. cit.*, p. 311 et suiv.
2. Ainsi le tableau de la jeune fille en larmes et la scène de répétition d'Octave avant le retour de son père (I, 3), l'arrivée tonitruante d'Argante, les remontrances à Scapin et la fourberie du mariage supposé être forcé (I, 4), la leçon de vie que Scapin dispense à Argante (II, 5), les exigences excessives du spadassin (II, 5), le récit de la nourrice (III, 7). Cette liste des emprunts les plus fidèles à la comédie de Térence est établie à partir du site Molière21 : http://moliere.huma-num.fr/, consulté le 9 septembre 2021.

GÉRONTE. – Ah, seigneur Argante, vous me voyez accablé de disgrâce.

ARGANTE. – Vous me voyez aussi dans un accablement horrible.

GÉRONTE. – Le pendard de Scapin, par une fourberie, m'a attrapé cinq cents écus.

ARGANTE. – Le même pendard de Scapin, par une fourberie aussi, m'a attrapé deux cents pistoles (III, 6).

Les victimes, toutes deux ridiculisées par Scapin, font doublement rire le public.

Dans la même logique d'amplification, Molière exploite aussi *Le Pédant joué* de Cyrano de Bergerac (1654). Au moment d'écrire la scène de la galère, Molière y puise l'épisode du Turc retenant Léandre en otage contre une rançon que l'avare Géronte a bien de la peine à livrer. Il se souvient précisément d'une réplique prononcée une seule fois dans la pièce de Cyrano : « Que diable aller faire aussi dans la galère d'un Turc ? d'un Turc ! » Molière la fait répéter à Géronte pas moins de sept fois, tandis que Scapin commente : « Cette galère lui tient au cœur », et que Zerbinette, plus loin, la cite à nouveau pour s'en moquer dans son long fou rire : « Mais que diable allait-il faire à cette galère ? Ah maudite galère ! Traître de Turc ! » (III, 3). La fortune de cette réplique tient au talent d'écriture de Molière qui en fait un *leitmotiv* comique très efficace. Il ajoute aussi à la source initiale un jeu de scène à propos de la bourse que Géronte donne à Scapin tout en ne la donnant pas : « *Il lui présente sa bourse, qu'il ne laisse pourtant pas aller ; et dans ses transports, il fait aller son bras de côté et d'autre, et Scapin le sien pour avoir la bourse* » (II, 7). De Térence ou de Cyrano, Molière ne garde donc que ce qui l'intéresse : les sources sont un matériau que l'auteur s'approprie et qu'il décuple pour produire les effets escomptés.

Le travail d'adaptation des sources et des influences [1] de la comédie révèle aussi le souci constant de tenir le spectateur en haleine et de le divertir grâce à des références familières, autre signe caractéristique du genre de la petite comédie. Pour cela, Molière s'inspire de la *commedia dell'arte* et de ses *lazzi*, ces jeux de scène virtuoses ou comiques qui visent une esthétique de l'effet, alors très populaire. Les interactions avec la comédie italienne ont sans doute été renforcées par le fait que, à cette date, Molière et sa troupe partagent le théâtre du Palais-Royal avec le célèbre Tiberio Fiorilli, qui interprète Scaramouche. On trouve ainsi des clins d'œil explicites à ce répertoire : la scène se passe à Naples, et Scapin et Zerbinette font tous deux partie de la galerie des masques italiens traditionnels (Scapino est le valet ingénieux et Zerbinette la jeune fille enjouée à la parole volontiers effrontée). Au-delà de ces emprunts directs, on perçoit surtout l'influence italienne dans la structuration même de la comédie, conçue comme une succession de *lazzi* et de rebondissements dans l'action.

Dans l'ordre de la pièce [2], on identifie un *lazzo* de fuite pour Octave à l'arrivée de son père Argante, qui permet à l'acteur une série d'acrobaties [3] (I, 3). On découvre un *lazzo* de menace lorsque Léandre cherche à punir Scapin à l'acte II scène 3 (les didascalies de geste

---

1. L'analyse qui suit s'intéresse à la « source » italienne de manière large et considère l'influence globale de la *commedia dell'arte* sur l'esthétique de la petite comédie.
2. L'ouvrage de Claude Bourqui et de Claudio Vinti permet d'identifier et de nommer ces différents *lazzi*. Voir C. Bourqui et C. Vinti, *Molière à l'école italienne*, L'Harmattan, 2003.
3. Denis Podalydès a su exploiter ce jeu de scène dans la mise en scène de la pièce, voir *infra*, p. 40.

comme « *en mettant l'épée à la main* », « *le retenant* » ou
« *voulant le frapper* » scandent le passage). Tout de suite
après, on trouve un *lazzo* de fanfaronnade et de brava-
cherie lorsque, à la suite de l'intervention de Carle,
Léandre implore l'aide de son valet qui ironise sur
l'inversion de la situation [1]. Un *lazzo* de mime est assuré
par Silvestre lorsqu'il interprète le spadassin (proche du
Capitan ou du Matamore espagnol), ce qui devait susci-
ter chez le public une certaine attente, le jeu identifiable
de ce personnage stéréotypé pouvant permettre de comparer et d'évaluer la performance d'acteur. Des *lazzi* de
gestes et de mimiques servant à l'expression d'états d'âme
sont nombreux et particulièrement comiques lorsque ce
sont les deux vieillards qui tremblent de peur (Argante à
la scène 6 de l'acte II, Géronte au début de la deuxième
scène de l'acte III). Enfin, la célèbre scène du sac [2]
s'inspire d'un *lazzo* de bastonnade, récurrent dans la *commedia dell'arte* lorsque d'insolents valets rouent de coups
leur propre maître. Les spectateurs de l'époque, habitués
qu'ils sont à assister tantôt à la *commedia dell'arte* tantôt
aux comédies françaises, identifient sans doute immédiatement ces *lazzi* et les perçoivent d'emblée, par connivence, comme des occasions de rire et d'admirer la
virtuosité des acteurs.

À ces emprunts italiens s'ajoutent des jeux de scène
imaginés par Molière, comme celui de la confession des
fautes de Scapin à son maître (II, 5) qui semble avoir
particulièrement retenu l'attention de Robinet [3]. On

---

1. « Je suis mon pauvre Scapin à cette heure qu'on a besoin de
moi » (II, 4).
2. Claude Bourqui suggère la possible existence d'un *lazzo* du sac,
d'après le canevas anonyme « Le disgrazie di Pulcinella », voir
C. Bourqui, *Les Sources de Molière, op. cit.*, p. 319.
3. Voir sur cette question « Dossier », p. 161.

pense aussi au motif de la confidence mal adressée que l'on trouvait déjà dans *L'École des femmes* à l'échelle de la structure de la pièce. Horace s'y épanche sur ses sentiments envers Agnès devant Arnolphe, interprété par un Molière grimaçant d'une colère qu'il doit pourtant dissimuler, ce qui déclenche immanquablement l'hilarité du public. Dans les *Fourberies*, la confidence mal adressée est celle de Zerbinette qui, hilare, raconte en détail à Géronte la fourberie dont il vient d'être victime (III, 3). Ces fourberies, *lazzi* ou jeux de scène sont présents dans les didascalies, particulièrement nombreuses dans cette comédie, mais ils sont surtout toujours possibles du fait de l'esthétique même de la pièce – et indénombrables en soi dans le texte qui ne reste qu'une trace imparfaite de ce qu'a pu être le spectacle du temps de sa création [1]. Ils centrent en tout cas le regard des spectateurs sur l'action des personnages et ancrent le comique dans le corps des acteurs.

UNE PIÈCE GALANTE

L'adjectif « galantes » n'est peut-être pas celui qui vient immédiatement à l'esprit pour qualifier *Les Fourberies de Scapin* ; à y regarder de plus près, la petite comédie s'inscrit pourtant dans une esthétique galante et reprend de ce fait des valeurs et des codes partagés par les spectateurs, susceptibles de leur plaire. S'il est vrai que la pièce « ne joue pas sur des idées ou des valeurs propres à établir

---

1. Témoigne de cette idée la mise en scène de Denis Podalydès qui ajoute des éléments que le texte de Molière ne précise pas mais qui sont fidèles à l'esprit « italien » de la pièce, autorisant une forme d'improvisation plus ou moins spontanée en fonction de la réaction du public. Voir infra, p. 40.

une relation de connivence avec le public mondain [1] »,
dans la mesure où elle ne vient pas illustrer une valeur
ou une maxime galante comme le font les autres comédies de Molière, elle entretient néanmoins des rapports
étroits avec la galanterie – ce qui la distingue, comme on
le verra, des farces issues du Moyen Âge.

Ainsi les amoureux aiment-ils en galants, comme en
témoigne le récit d'Octave lorsqu'il rapporte les transports de Léandre après sa rencontre avec Hyacinthe dans
la deuxième scène du premier acte :

> Il ne m'entretenait que d'elle chaque jour ; m'exagérait à
> tous moments sa beauté et sa grâce ; me louait son esprit,
> et me parlait avec transport des charmes de son entretien,
> dont il me rapportait jusqu'aux moindres paroles, qu'il
> s'efforçait toujours de me faire trouver les plus spirituelles
> du monde (I, 2).

Ici, l'amoureux estime chez la jeune fille à la fois sa
beauté et la qualité de son esprit. Hyacinthe est décrite
comme une héroïne typique de la littérature galante et
s'exprime d'ailleurs comme telle tout au long de la
pièce [2]. Zerbinette aussi s'inscrit dans l'univers de la
galanterie par sa propension à l'enjouement, qu'elle présente comme un trait de caractère [3], et par sa volonté de
divertir la compagnie [4] qui la rapproche de la femme du

---

1. Selon l'avis de Gabriel Conesa dans l'édition qu'il propose de la
pièce, voir Molière, *Œuvres complètes*, éd. G. Forestier et C. Bourqui,
Gallimard, « Bibliothèque de la Pléiade », 2010, t. II, p. 1468.
2. Hyacinthe manie notamment avec grâce la rhétorique amoureuse :
« je suis sûre que vous m'aimez ; mais je ne le suis pas que vous
m'aimiez toujours » ; ou encore : « [le Ciel] ne saurait m'être
contraire, si vous m'êtes fidèle » (I, 3).
3. « J'ai l'humeur enjouée, et sans cesse je ris » (III, 1).
4. « [...] j'ai une démangeaison naturelle à faire part des contes que
je sais » (III, 3).

monde rieuse et d'agréable compagnie, proche de Célimène, d'Uranie ou d'Henriette [1]. Les préoccupations des
jeunes femmes ressemblent aux questions d'amour dont
on pouvait discuter dans les salons contemporains : les
pleurs de Hyacinthe (I, 3) sont justifiés par la crainte de
perdre son amant, en raison des lois de l'amour expri-
mées par des maximes comme « votre sexe aime moins
longtemps que le nôtre, et [...] les ardeurs que les
hommes font voir, sont des feux qui s'éteignent aussi
facilement qu'ils naissent » (I, 3). De même, la première
scène du dernier acte s'ouvre sur une longue conversation
entre Zerbinette et Hyacinthe visant à déterminer
laquelle des deux a le plus à craindre de ces « justes inclinations [qui] se trouvent traversées » (III, 1). Le sentiment amoureux s'exprime dans toute la pièce selon un
registre galant, avec l'exploitation du lexique et des méta-
phores de l'amour que l'on retrouve dans la littérature
de l'époque : les amoureux sont pris de « transport »
devant les « feux de l'amour », les « charmes », les « agréments », le caractère « admirable » de l'« objet de leurs
vœux ». Non sans hyperbole, les amants promettent de
mourir si leur amour devait être contrarié [2]. L'intrigue
matrimoniale elle-même peut aussi se lire comme un
écho au débat galant contemporain sur le mariage et la

---

1. Dans *Le Misanthrope*, Célimène est un personnage de coquette,
mais elle est aussi caractérisée par son enjouement, sa conversation
mondaine et gaie. Dans la comédie de salon *La Critique de l'École des
femmes*, Uranie incarne la femme du monde appréciant de se divertir.
Dans *Les Femmes savantes*, Henriette développe en différentes occasions un éloge du plaisir et du divertissement.
2. Octave déclare à Hyacinthe : « je sens bien pour moi que je vous
aimerai jusqu'au tombeau » (I, 3) ; et Léandre conclut : « Il faut donc
que j'aille mourir ; et je n'ai que faire de vivre si Zerbinette m'est
ôtée » lorsqu'il pense que la fourberie de Scapin a échoué (II, 8).

possibilité de choisir librement son époux, même si le mariage est aussi un *topos* de la comédie, notamment le projet de mariage contrarié par la volonté du père. Les jeunes gens de cette comédie peuvent ainsi être perçus comme des modèles de galants, proches en cela des spectateurs eux-mêmes, avec lesquels ils partagent en connivence un certain nombre de codes et de valeurs, tandis que les vieillards sont des figures repoussoirs d'antigalants ridiculisés.

Pour proposer au public un divertissement à la mode, rapide à composer et susceptible de lui plaire, Molière fait donc le choix pertinent de la petite comédie. Cette pièce est toutefois un hapax dans sa production car c'est la seule petite comédie en trois actes : ses petites comédies sont généralement en un acte [1] tandis que les comédies en trois actes [2] sont des comédies-ballets sur une musique souvent composée par Jean-Baptiste Lully. Nourries de nombreuses sources antiques et étrangères, *Les Fourberies de Scapin* ont néanmoins toutes les caractéristiques d'un divertissement galant, inscrit dans les codes de son temps, fondé sur l'action et visant à faire rire la salle : elles appartiennent ainsi pleinement à cette catégorie émergente de la petite comédie, et ne relèvent pas à proprement parler du genre de la farce, comme on le lit encore trop souvent.

---

1. *La Jalousie du Barbouillé* (s.d.), *Le Médecin volant* (s.d.), *Les Précieuses ridicules* en 1659, *Le Cocu imaginaire* en 1660, *La Critique de l'École des femmes* en 1663, *L'Impromptu de Versailles* en 1664, *Le Sicilien* en 1668.

2. *Les Fâcheux* en 1661, *L'Amour médecin* en 1665, *Le Médecin malgré lui* en 1666, *Le Mariage forcé* en 1668, *George Dandin* en 1668, *Monsieur de Pourceaugnac* en 1670, *Les Amants magnifiques* en 1670.

POURQUOI *LES FOURBERIES DE SCAPIN* NE SONT PAS UNE « FARCE » ?

Le rapprochement entre cette comédie de Molière et la « farce », entendue comme le genre issu des farces médiévales, est omniprésent dans les nombreuses éditions récentes aussi bien que dans les éditions plus anciennes. Cela témoigne de la persistance de ce que l'on peut pourtant considérer comme un malentendu de l'histoire littéraire. Ces éditions évoquent fréquemment l'idée que Molière s'est inspiré d'une ou de plusieurs farces du début du siècle et que l'esthétique de sa pièce en subit l'influence. Même la brochure de la dernière grande mise en scène de la Comédie-Française, qui a pourtant nettement intégré l'influence de la *commedia dell'arte* dans sa proposition, évoque à nouveau les « farces tabariniques » parmi les sources d'inspiration de Molière [1]. À bien y regarder, le lien entre Tabarin et les *Fourberies* est pourtant bien lâche.

LA QUESTION DE LA « SOURCE » TABARIN

Dans les années 1660, le genre de la farce, qui émerge à l'époque médiévale et évolue jusqu'à la fin du XVIe siècle, a pourtant disparu depuis longtemps ; les plus vieux spectateurs peuvent avoir le souvenir des farceurs du début du siècle s'illustrant à l'Hôtel de Bourgogne ou sur le Pont-Neuf, mais le genre en tant que tel est tombé en désuétude et l'on ne trouve pas de véritable continuité entre les farces du début du siècle et les petites comédies des années 1660,

---

1. Voir Dossier, p. 156.

bien que la critique actuelle ait souvent assimilé les deux genres [1]. Cette supposée influence de la farce sur les comédies et format court découle d'un regard anachronique porté sur le XVIIe siècle et se révèle peu probante à l'épreuve de la comparaison entre les deux genres. Dès 1999, Claude Bourqui constate ainsi à propos de l'œuvre de Molière :

> Une idée reçue veut que Molière soit l'héritier de la tradition farcesque française de la fin du Moyen Âge. Sur le plan des sources, cette inférence ne se confirme pas. Il est vrai que le matériau farcesque n'a laissé que peu de traces et que nous ne disposons que d'une petite fraction de la production ayant existé. On pourrait dès lors imaginer que le recours de Molière à cette tradition ait été beaucoup plus considérable que ce que nous sommes à l'heure actuelle en mesure de démontrer. Mais presque toutes les comédies de Molière disposent de sources potentielles d'autres origines souvent amplement suffisantes pour rendre compte de leur composition. À chaque fois qu'une source farcesque médiévale est proposée en concurrence, l'indigence de l'hypothèse apparaît manifestement [2].

Cette remarque générale s'applique spécifiquement aux *Fourberies de Scapin*, très souvent rapprochées de deux farces de Tabarin, issues d'un de ses recueils intitulé *Farces tabariniques non encore vues ni imprimées* datant de 1624. Il est vrai que cet ouvrage a connu une réédition en 1664 à laquelle Molière a pu avoir accès [3]. Mais

---

1. En témoigne, par exemple, le recueil intitulé *Farces du Grand Siècle de Tabarin à Molière : farces et petites comédies*, éd. C. Mazouer, Pessac, Presses universitaires de Bordeaux, 2008. Voir sur cette question C. Piot, « "Farce" ou "petite comédie" », art. cité.

2. C. Bourqui, *Les Sources de Molière, op. cit.*, p. 30.

3. Tabarin, *Recueil général des œuvres et fantaisies de Tabarin, contenant ses Rencontres, questions et demandes facécieuses, avec leurs responses. En ceste édition est adjoutée la 2e partie de ses farces non encore vües ny imprimées*, Rouen, L. du Mesnil, 1664.

la première farce intitulée « Piphagne et Tabarin » n'a de commun avec les *Fourberies* que l'utilisation de deux sacs, dans lesquels se cachent les personnages. Dans la seconde farce, qui n'a pas de titre, un personnage enfermé dans un sac parvient à en sortir par la ruse et à convaincre un autre de s'y glisser à sa place ; ce dernier devient le destinataire imprévu de coups de bâton. Certes, le motif de la bastonnade dans le sac peut rappeler les *Fourberies*, mais la situation est très différente : la ruse n'est pas préméditée par vengeance, elle n'est pas l'œuvre d'un valet battant son maître. De plus, une autre source potentielle de ce jeu de scène semble plus probante : un canevas napolitain (l'action des *Fourberies* a lieu à Naples, précise la didascalie initiale) intitulé *Le disgrazie di Pulcinella*[1], qui décrit un *lazzo* dans lequel le valet Pulcinella entre dans le sac et finit par être battu par Coviello, un autre valet. Sans être similaire[2], cette source évoque assez étroitement la scène des *Fourberies*, même s'il est difficile de déterminer lequel des deux textes est antérieur à l'autre. Quoi qu'il en soit, le motif du sac est, selon Claude Bourqui, bien répandu dans la *commedia dell'arte* et plus proche de la pièce de Molière que ne le sont les deux farces de Tabarin :

> La similitude entre les farces de Tabarin et les *Fourberies* n'est guère prononcée et se limite à l'usage d'un sac et de la

---

1. Anonyme, « Le disgrazie di Pulcinella », dans « Gibaldone de' soggetti, da recitarsi all'improviso alcuni proprij, e gl'altri da diversi, raccolti di D. Anibale Sersale conte di Casamarciano », s.d. (n° 23), en ligne sur le site Molière21.
2. Le texte d'un canevas demeure toujours assez allusif. Claude Bourqui signale toutefois que ce contenu est « fort proche » de *Monsieur de Pourceaugnac*, dont il constitue une source potentielle. Dans ce canevas, un épisode autour de la « burle du sac » permet aussi de rapprocher la source des *Fourberies*. Voir C. Bourqui, *Les Sources de Molière, op. cit.*, p. 318.

bastonnade. Comme on l'a dit, le procédé possède une histoire suffisamment longue pour qu'il soit hasardeux de le
rattacher à une œuvre déterminée, sans l'argument de rencontres plus précises. L'existence d'une « burle du sac » plus
proche de celle des *Fourberies* dans le *scénario* des « Disgrazie
de Pulcinella » vient en outre rendre le rapprochement avec
les farces tabariniques encore plus hasardeux [1].

Si rien ne prouve que les farces de Tabarin ont inspiré
Molière, et si même tout indique qu'il est peu probable
que ce soit le cas, comment comprendre l'habitude fré-
quente de rattacher les *Fourberies* à ces farces, alors même
que cette étude très documentée des sources de Molière
date déjà de 1999 ? Comment comprendre, surtout,
l'habitude de rattacher cette pièce au genre de la farce alors
qu'elle s'inscrit en réalité dans une esthétique générique
propre au temps de sa création ? Il est peu probable que
les premiers spectateurs des *Fourberies de Scapin* aient
pensé assister à une farce au sens générique du terme ; ils
ont, en 1671, pleinement conscience d'applaudir à une
petite comédie. Molière n'a pas non plus pensé composer
une farce à la Tabarin. Si le terme et la notion de « farce »
reviennent si souvent dans les études consacrées aux *Fourberies de Scapin*, c'est que le lecteur moderne hérite d'une
vision déformée de l'œuvre. Cette vision est formulée à
l'origine par Nicolas Boileau, puis renforcée par un effet
du processus de classicisation de Molière considéré comme
un « grand auteur » de « grandes comédies ».

LE LEGS HERMÉNEUTIQUE DE BOILEAU

Dans son *Art poétique* rédigé en 1674, soit un an après
la mort de Molière, Boileau verrouille en deux vers la

---

1. *Ibid.*, p. 317.

réception de la petite comédie des *Fourberies* en regrettant que Molière ait « sans honte à Térence allié Tabarin » et que « Dans ce sac ridicule où Scapin s'enveloppe,/ [on ne reconnaisse plus] l'auteur du *Misanthrope* » [1]. Surinvestis par la postérité, ces trois vers ont décisivement orienté la critique moliéresque alors qu'on peut nuancer leur impact en les replaçant dans leur contexte d'énonciation. L'optique généralisante de l'art poétique et la volonté qu'avait Boileau de s'exprimer en régulateur des lettres ne doivent pas faire oublier l'ancrage historique de ce jugement : en 1674, cela fait un an que des éloges *post mortem* de l'auteur consacrent l'image d'un Molière moraliste au sein d'un processus actif de classicisation de l'auteur et de son œuvre [2].

Le commentaire de Boileau s'inscrit donc dans le prolongement d'un discours sur le rire moral et sur le talent de Molière pour composer de « grandes comédies » avec des « caractères [3] ». L'affiliation à « Térence », perçu au

---

1. Voir le texte de Boileau dans le Dossier, p. 163.

2. Au lendemain de la mort de Molière, les contemporains ont en effet puisé parmi les discours disponibles pour commenter son œuvre et ont massivement exploité les seuls textes dans lesquels l'auteur s'exprimait sur son art, qui tous sont liés au contexte très spécifique de l'« Affaire Tartuffe », notamment la préface du *Tartuffe* dans laquelle Molière développe pour la première fois l'idée que « l'emploi de la comédie est de corriger les vices des hommes ». C'est ainsi qu'un discours sur le rire moralisant de Molière a vu le jour en 1669 et s'est cristallisé dès 1673, passant du statut d'un discours d'actualité – contextuel et pragmatique pour obtenir l'autorisation de jouer *Le Tartuffe* – à un discours d'autorité – établissant Molière comme un censeur des mœurs à l'image d'un La Bruyère.

3. Sur l'émergence de ce discours sur le rire moral de Molière, voir Coline Piot, « L'effet moral de la comédie de l'âge classique et son rapport au rire du spectateur dans les discours sur le genre comique », *Fabula/ Les colloques*, Le rire : formes et fonctions du comique, 2010 [en ligne].

XVIIᵉ siècle comme l'auteur antique comique le plus spirituel et moral – par opposition à Plaute – est une manière de rendre hommage à ce corpus de comédies en cinq actes supposées avoir une visée de correction morale par le rire. Or dans la perspective de l'histoire littéraire, seules ces « belles comédies » sont dignes d'entrer au panthéon des œuvres dites classiques. À l'inverse, les pièces de format court, destinées au seul divertissement et qui sont chez Boileau abusivement regroupées sous le nom de « Tabarin », sont progressivement dénigrées dans l'héritage qu'a laissé Molière, alors même qu'elles ont pu rencontrer beaucoup de succès en leur temps et par la suite. *L'Art poétique* de Boileau est souvent cité pour justifier cette hiérarchisation entre grandes et petites comédies. Réduites à la seule burle du sac, *Les Fourberies de Scapin* passent pour être une comédie de moindre importance, et la référence à Tabarin l'assimile au genre péjorativement connoté de la « farce », tandis qu'est magnifiée la grande comédie d'Alceste et Célimène.

Or ce jugement de Boileau est peut-être à repenser, aussi bien d'un point de vue littéral que d'un point de vue axiologique. En premier lieu, les vers de Boileau ne sont peut-être pas à prendre au pied de la lettre, ou peuvent en tout cas être nuancés. L'alliance de « Térence » et de « Tabarin » joue sur l'allitération, sans forcément que la référence soit à considérer comme une source réelle. Le nom « Tabarin » renvoie, corollairement à l'auteur qu'il désigne, à une tonalité, une couleur, un univers[1] qui peut, en 1674, évoquer une forme de farcesque au second degré correspondant à une pratique

---

1. Voir sur cette question l'introduction de Charlotte Farcet dans *Tabarin philosophe : le recueil général*, Les Belles Lettres, 2007.

littéraire mondaine : les galants apprécient le facétieux et le farcesque avec la distance d'une écriture « à la manière de [1] ». Aussi « l'esprit Tabarin » des *Fourberies de Scapin* ne renvoie-t-il pas forcément à l'identification générique de la petite comédie à la farce, mais plutôt à un goût manifeste, dans la pièce et dans la littérature contemporaine, pour le rire. D'un point de vue littéral toujours, il faut garder à l'esprit que les termes « bouffons », « grimacer » et « ridicule » que l'on trouve dans le texte de Boileau n'ont pas nécessairement, au XVIIe siècle, le sens péjoratif qu'on entend aujourd'hui et peuvent tous les trois renvoyer à la *commedia dell'arte* et au jeu expressif des comédiens italiens plus qu'à la farce.

En second lieu, le sous-texte axiologique qui hiérarchiserait grandes et petites comédies est discutable car ce classement *a posteriori* ne correspond pas forcément au sentiment et aux critères d'évaluation des premiers spectateurs de Molière, ni même de ceux des siècles suivants. Dans le sillage de Guy Spielmann [2], on peut différencier les qualités littéraires et les qualités spectaculaires des comédies de l'Ancien Régime pour les évaluer avec plus de pertinence. L'auteur du *Misanthrope* n'est pas forcément supérieur à celui des *Fourberies* au regard de la qualité performative des représentations. Aussi n'est-ce pas en tant

---

1. En témoigne la réédition, dans les années 1660, de l'œuvre de Rabelais, de recueils de bons mots et de contes à rire relevant de la littérature facétieuse. Voir sur cette question Lise Michel, « Discours misogynes et plaisanteries sur le cocuage dans la littérature mondaine autour de 1660 », dans J.-C. Abramovici et C. Barbafieri (dirs), *L'Invention du mauvais goût à l'âge classique (XVIIe-XVIIIe)*, Louvain, Peeters, 2013, p. 301-314.
2. Voir Guy Spielmann, *Le Jeu de l'ordre et du chaos : comédie et pouvoirs à la fin de règne, 1673-1715*, Honoré Champion, 2002.

que petite comédie, et encore moins en tant que farce, que *Les Fourberies de Scapin* n'ont pas « mérité » leur succès car, à la même époque et jusqu'à la fin du siècle, de nombreuses petites comédies remportent un grand succès et sont même souvent plus plébiscitées par le public que les grandes. Ajoutons que cet insuccès est à la fois relatif et de courte durée : très vite, la petite comédie devient un incontournable du répertoire de Molière.

La réception paradoxale des *Fourberies de Scapin*

La réception des *Fourberies de Scapin* au cours des siècles est paradoxale. Timidement reçue par son premier public, elle est aujourd'hui l'une des comédies de Molière les plus célèbres parmi la trentaine de pièces du grand auteur, notamment parce qu'elle est une des plus largement étudiées au collège [1]. À ce titre, elle bénéficie d'une attention particulière de la part des éditeurs scolaires [2]. Très régulièrement montée dans les théâtres

---

[1]. La comédie présente d'indéniables avantages pédagogiques : son format court, son intrigue dédoublée et facilement intelligible, sa langue d'accès facile et sans difficulté lexicale particulière, son rythme rapide et sa force comique qui séduit les plus jeunes lecteurs.

[2]. On compte pas moins de vingt-quatre éditions différentes du texte en seulement dix ans, de 2010 à 2020. Les différentes réformes des programmes, de 2008 et 2016, n'ont fait qu'accentuer l'engouement pour cette pièce, dès lors que les « farces » de Molière sont introduites au corpus d'études. Auparavant, la pièce n'apparaît pas dans les programmes car les « farces » ne sont pas jugées dignes d'intérêt. Sur cette question, voir I. Calleja-Roque, *Molière, un héros national de l'école*, Grenoble, UGA éditions, 2020. On peut également souligner la rareté avec laquelle la recherche et la critique universitaire traitent de cette comédie pourtant incontournable pour le grand public, ce

accueillant les publics les plus variés (scolaires, mais pas seulement), elle constitue bien souvent la première expérience de spectateur pour les élèves. Son exploitation en classe, sa très large diffusion éditoriale et scénique l'inscrivent dans le canon des œuvres littéraires dites « classiques » et dans le patrimoine collectif français. Cette visibilité des *Fourberies de Scapin* dans le paysage moliéresque actuel accentue l'impression de rendez-vous manqué entre la comédie et les spectateurs de 1671.

Scapin en son temps

Le 24 mai 1671, les recettes sont en effet décevantes, 545 livres le soir de sa création, pas davantage par la suite [1]. La comédie finit par être retirée de l'affiche dès la fin du mois de juillet. Molière n'a joué que dix-huit fois le rôle de Scapin, sans parvenir à pleinement séduire son premier public. Pourtant, ni la distribution ni la performance des acteurs ne sont en cause. Les premiers spectateurs ont notamment salué la performance de la Beauval, déjà plébiscitée pour son rire communicatif dans son rôle de Nicole pour *Le Bourgeois Gentilhomme* l'année précédente, et qui a pu à nouveau manifester son talent dans l'acte III en incarnant Zerbinette. C'est d'ailleurs une scène que le gazetier Robinet retient dans sa critique de la représentation lorsqu'il mentionne le « rôle jovial » de la

---

qui peut se lire comme la trace de la hiérarchisation des œuvres héritée de Boileau.
1. À titre de comparaison, *Le Bourgeois gentilhomme,* comédie-ballet en trois actes créée en 1670, a généré 1 397 livres lors de la première séance au Palais-Royal et *Les Femmes savantes*, comédie en cinq actes jouée l'année suivante en 1672, 1 735 livres.

Beauval qui fait « pâmer de rire » le public [1]. Le jeu grimacier de Molière a pu servir le rôle d'une rare complexité de Scapin, qui repose à la fois sur un art de la parole et du geste comique et sur une maîtrise parfaite du *tempo* du spectacle – une partie du talent d'acteur de Molière devait être la faculté qu'il avait d'improviser et de « tenir » les jeux de scène sur la durée tant que la salle riait et de savoir au contraire les arrêter et enchaîner s'ils ne prenaient pas [2]. Robinet [3] estime en tout cas qu'il a « fait ce rôle admirablement ». Malgré cette critique élogieuse du gazetier, les toutes premières représentations de la pièce sont timidement accueillies et Molière confie assez rapidement l'impression du texte à Claude Blageart pour la publication.

La critique universitaire [4] a proposé plusieurs hypothèses pour expliquer ce premier accueil timoré. Les spectateurs auraient été frustrés par cette pièce au décor

---

1. Charles Robinet, *Lettres en vers à Monsieur*, Paris, Chenault, 1671, [Mazarine, 296-A5-RES], site « Naissance de la critique dramatique ». Voir Dossier, p. 162.
2. Un texte du XVIIe siècle va dans ce sens : dans une comédie métathéâtrale, Laurent Bordelon fait dire au personnage de Scapin, interprété par Molière-personnage : « Après que j'ai dit un mot qui m'a paru drôle, et que je me suis mis dans une posture qui m'a paru risible, ma première attention, c'est d'examiner si les spectateurs montrent leurs dents en retirant les deux extrémités de la bouche du côté des oreilles, et s'ils font un certain bruit qui marque l'épanouissement de leur rate, c'est-à-dire, s'ils rient. Si cela n'arrive pas, je suis sot comme un panier », L. Bordelon, *Molière comédien aux Champs-Élysées*, Lyon, Antoine Briasson, 1694, site « Naissance de la critique dramatique ».
3. Charles Robinet, *Lettres en vers à Monsieur, op. cit.*
4. Notamment les éditions proposées par Gabriel Conesa (dans Molière, *Œuvres complètes*, éd. G. Forestier et C. Bourqui, *op. cit.*), Georges Couton (Gallimard, 2012), et Jean Serroy (Librairie générale française, 1999).

dépouillé à l'heure où ils aspirent davantage à un spectacle « à machines ». Elle aurait aussi été perçue comme une pièce bouche-trou pour tromper l'impatience du public de la ville désireux de voir cette *Psyché* que la cour avait tant applaudie. La comédie aurait souffert des conditions matérielles de sa représentation, compliquées par des travaux en cours au Palais-Royal [1]. Elle aurait pâti d'un choix initial de programmation peu judicieux, placée en deuxième partie de soirée après *Le Sicilien*, qui n'a jamais rencontré de succès. Son format en trois actes aurait été problématique, trop court pour couvrir l'intégralité de la séance théâtrale et trop long pour servir de complément de spectacle. Pour convaincantes que soient toutes ces raisons – sans doute la conjonction de toutes est-elle encore la meilleure des explications –, on peut tout de même s'étonner de cet échec initial au regard de l'engouement que suscite la comédie dès la mort de Molière [2]. Il s'agit bien d'un « brillant bouche-trou [3] » : le choix stratégique de Molière, pour répondre à la nécessité d'offrir une pièce nouvelle à l'ouverture de la saison tout en tenant compte du contexte spécifique de la création de *Psyché*, est brillant dans la mesure où, même en les composant rapidement, il intègre dans ces trois actes tous les éléments susceptibles de garantir le succès : une parfaite maîtrise des différentes tonalités comiques et du rythme rapide aussi bien dans

---

1. Des travaux de rénovation et des aménagements permettant la création de pièces à machines comme *Psyché* ont lieu au Palais-Royal au cours de l'hiver 1670 et du printemps 1671.
2. On dénombre 197 représentations de la comédie de 1673 à 1715 : dès la mort de Molière, elle est donc devenue une valeur sûre du répertoire moliéresque.
3. L'expression est de G. Forestier dans la biographie *Molière*, Gallimard, « Biographies NRF », 2018, p. 451.

la structure que dans l'enchaînement des répliques, une connivence avec le public fondée sur la grande métathéâtralité de la pièce, le choix d'un personnage de fourbe à la puissance scénique et comique inédite. C'est sans doute ces qualités indéniables de la comédie qui justifient, dès le XVIIIe siècle [1] et jusqu'à nos jours, la stabilité de la petite comédie dans le répertoire théâtral français.

L'INVENTION D'UN ARCHÉTYPE

Ce succès intemporel se traduit dans la puissance mémorielle du titre de la pièce. Que l'on évoque « Les Fourberies » ou « Scapin », la comédie de Molière s'impose à l'esprit comme une évidence, sans qu'il soit besoin de préciser ni l'auteur ni le complément du titre. Après 1671, le mot « fourberies », qui existait auparavant, connote nécessairement la pièce de Molière et la référence apparaît d'ailleurs dans la définition de Furetière en 1690 :

> FOURBERIE, s.f. tromperie, action de fourbe ; coutume qu'on a de tromper, de déguiser. La *fourberie* est le vice des lâches, des gens de néant. La lettre du Roi Abgare à Jésus-Christ ne peut passer que pour une pieuse *fourberie*. BAIL. Souvent l'inhumanité tient lieu de grandeur, et la *fourberie*, d'esprit. LA BR. Molière a fait une comédie qui n'est qu'un tissu de *fourberies*, et qu'il a intitulée les *Fourberies de Scapin*.
> Je ne trouve partout que lâche flatterie,
> Qu'injustice, intérêt, trahison, fourberie. MOL [2].

---

1. La base de données des registres de la Comédie-Française indique que la comédie a été jouée 349 fois de 1680 à 1791 : www.cfregisters.org.
2. Antoine Furetière, *Dictionnaire universel*, 1690. Les abréviations renvoient respectivement à Baillet, La Bruyère et Molière.

La citation, en revanche est tirée d'une réplique d'Alceste (I, 1), si bien que l'« auteur du *Misanthrope* » est ironiquement lié à « Scapin » dans cette définition de « fourberie ». Scapin est présenté dans la liste des personnages comme « valet de Léandre, et fourbe ». Cette double caractéristique désigne à la fois sa condition sociale (valet) et sa fonction dramatique : c'est bien en tant que « fourbe », c'est-à-dire en tant que stratège à l'initiative de toute l'action dramatique que Scapin s'illustre. Le mot *fourberie* apparaît à plusieurs reprises dans la pièce [1] et même dans les didascalies, comme dans la célèbre scène du sac, ultime « fourberie » que le valet impose aux autres personnages : « *Géronte met doucement la tête hors du sac et aperçoit la fourberie de Scapin* » (III, 2), le terme désignant ici à la fois le piège trompeur et le trait de caractère du valet. Dans ce contexte, le mot acquiert un sens extrêmement concret et devient presque un mot de théâtre pour désigner la ruse à la fois diégétique et dramaturgique, dans l'intrigue et dans le jeu de scène.

Alors qu'il existe *des* comédies à « Sganarelle », Scapin n'existe que par et pour ces trois actes au sein desquels il excelle dans l'ingéniosité. Dans l'esprit des spectateurs d'hier et d'aujourd'hui, cette petite comédie s'assimile presque entièrement au personnage qui lui donne son

---

1. Scapin s'en vante lui-même à la scène 2 du premier acte : « J'ai sans doute reçu du Ciel un génie assez beau pour toutes les fabriques de ces gentillesses d'esprit, de ces galanteries ingénieuses à qui le vulgaire ignorant donne le nom de Fourberies ». À la fin de la pièce, lorsque les deux vieillards ont découvert la supercherie, ils s'en indignent dans des répliques qui se font écho : « GÉRONTE. – Le pendard de Scapin, par une fourberie, m'a attrapé cinq cents écus./ ARGANTE. – Le même pendard de Scapin, par une fourberie aussi, m'a attrapé deux cents pistoles » (III, 6).

titre. Parmi les comédies de Molière, dix ont pour titre le nom de leur personnage principal [1], mais c'est la première fois qu'un valet donne son nom à une comédie [2]. Scapin est présent dans plus de la moitié des scènes de la pièce, 14 sur 26, et presque omniprésent dans les deux premiers actes. Même lorsqu'il n'est pas sur scène, les autres personnages parlent de cet « ouvrier de ressorts et d'intrigues » (I, 2) pour le louer ou le maudire selon les cas. Les spectateurs français de 1671 connaissent le personnage de Scapin avant la comédie de Molière à travers la comédie italienne [3], et identifient sous ce nom un personnage de *zanno*, de valet inventif et virtuose (le nom Scapin est issu de l'italien *scappare* signifiant « s'échapper »). Ils peuvent en outre avoir en tête deux Scapin français présents dans des petites comédies contemporaines, *L'Inconstance punie* de Dorimond (1661) et *Le Poète basque* de Poisson (1668). Mais dans la première comédie, il n'est pas présenté comme un valet rusé et garde un rôle très secondaire

---

1. *Sganarelle ou le Cocu imaginaire*, *Amphitryon*, *George Dandin ou le mari confondu*, *Le Tartuffe ou l'Imposteur*, *Monsieur de Pourceaugnac*, *Les Fourberies de Scapin*, *Psyché*, *Dom Garcie de Navarre ou le Prince jaloux*, *Mélicerte*, *La Comtesse d'Escarbagnas*.

2. Sganarelle, nom souvent donné à un valet, est toutefois un personnage bourgeois dans la comédie *Sganarelle ou le Cocu imaginaire*. On se souvient aussi des comédies des années 1650 s'intitulant *Jodelet* comme le personnage de valet et son interprète (Scarron, *Jodelet ou le Maître valet*, 1645, *Les Trois Dorothée ou Jodelet souffleté*, 1646, *Don Japhet d'Arménie*, 1647 ; Thomas Corneille, *Le Geôlier de soi-même ou Jodelet Prince*, 1655 ; Le Métel d'Ouville, *Jodelet astrologue*, 1646).

3. En 1654 par exemple, lorsque le gazetier Loret veut rendre hommage au talent de l'acteur comique Jean Doucet, il estime que son jeu a surpassé tous les types comiques connus à cette date et cite « Scapin » parmi une liste de farceurs et de *tippi fissi* italiens, voir J. Loret, *La Muse historique*, Paris, Chénault, 1654, site « Naissance de la critique dramatique ».

– il se contente de commenter et de regretter l'inconstance de son maître – et dans la seconde, son rôle comme la comédie demeurent inachevés [1]. Il est probable qu'après 1671 en revanche, le référent soit devenu français, et certain qu'après 1673 et jusqu'à nos jours les spectateurs ou lecteurs français n'associent plus « Scapin » qu'au valet de Molière. Scapin seul est à la manœuvre et ses motivations dépassent la nécessité dramaturgique de contourner l'obstacle des mariages contrariés. Ce qui anime Scapin, fondamentalement, c'est le plaisir de la fourberie, la conscience d'avoir reçu un don du ciel [2]. Le lexique est développé en conséquence et les verbes *duper, jouer, attraper, fourber* côtoient l'isotopie du *stratagème*, du *piège*, du *trait*, des *tours*, de la *pièce* ou de la *machine*. Des expressions imagées comme « je les aurais joués tous deux par-dessous la jambe » (I, 3) ou « passer la plume par le bec » (III, 5), ou la métaphore des filets de pêche dans lesquels le valet attrape ses victimes émaillent la comédie et font de la fourberie le thème central de la pièce. L'art de la ruse et le plaisir manifeste du valet à la mettre en œuvre nourrissent le plaisir du public par un jeu adroit de connivence d'ordre métathéâtral.

LES RAISONS DU SUCCÈS POSTHUME

Une clé de la réussite constante de cette comédie à travers les siècles réside peut-être dans la théâtralité exceptionnelle qui se dégage de ces trois actes. À lire ou à voir les *Fourberies*, Molière semble avoir exhibé volontairement les ficelles de la comédie, comme pour se libérer de

---

1. Les personnages de spectateurs n'assistent qu'à la première scène de la petite comédie insérée intitulée *La Mégère amoureuse*.
2. Voir Dossier, p. 155.

l'exigence de vraisemblance. Il semble jouer, en connivence avec le public, avec ce concept toujours ambivalent de la théorie dramatique. Les spectateurs ne croient pas à l'histoire qu'on leur raconte dans les *Fourberies*, et c'est presque tant mieux. Ils peuvent ainsi se focaliser non sur la fable mais sur l'ingéniosité des fourberies, sur la virtuosité des dialogues et sur l'effet des jeux de scène. Davantage, Molière expose délibérément les conventions théâtrales qui régissent sa comédie afin de mieux les mettre à distance et libérer une plus grande charge comique. La scène d'exposition, en ce sens, joue avec les codes du genre : puisqu'elle est supposée informer le spectateur de la situation, les personnages en scène caricaturent le questionnement comme pour illustrer le principe de la double énonciation. Octave pose à son valet Silvestre cinq longues questions qui contiennent en elles-mêmes tous les éléments de leur réponse, si bien que le valet en est réduit au monosyllabe « oui » pour confirmer ce que le maître sait déjà mais qu'il faut transmettre aux spectateurs. Le procédé, repris de *La Sœur* de Rotrou (1647) – que la troupe de Molière connaissait bien pour l'avoir jouée quatre fois en 1662 –, informe le spectateur de la situation d'une manière conventionnelle assumée.

Il en va de même pour les liaisons de scène, règle poétique normalement exigeante lorsque l'on doit préserver la vraisemblance pour justifier l'entrée ou la sortie d'un personnage. Molière ne s'en soucie guère dans *Les Fourberies de Scapin* et prend même un malin plaisir à souligner le caractère miraculeux des transitions :

> SCAPIN. – Je ne manquerai pas d'y aller. Et un. Je n'ai qu'à chercher l'autre. Ah ! ma foi ! le voici. Il semble que le Ciel, l'un après l'autre, les amène dans mes filets (II, 6).

De même, lors de la reconnaissance finale, que Molière rend encore plus invraisemblable que dans *Phormion* en doublant les situations, les personnages remarquent avec une forme d'amusement complice les grosses ficelles du dénouement : « quelle rencontre » dit Argante (III, 7), « Voilà une aventure qui est tout à fait surprenante » commente Silvestre (III, 7), « Ô Ciel ! que d'aventures extraordinaires ! » s'exclame Hyacinthe (III, 11).

Enfin, Molière exploite largement les apartés sans se soucier de la vraisemblance de la situation, tant que cela occasionne un jeu de scène. À l'acte I scène 4, l'aparté est poussé à l'extrême sur vingt répliques, ce qui permet de tirer un maximum d'effets comiques des commentaires ironiques de Scapin. Le valet a déjà fomenté la ruse et évalue malicieusement la pertinence des hypothèses d'Argante. Parfois, l'aparté même est rompu, ce qui constitue une autre manière d'exhiber et de mettre à distance les conventions théâtrales. C'est le cas à la scène 2 du dernier acte :

> GÉRONTE. – L'invention est bonne.
> SCAPIN. – La meilleure du monde. Vous allez voir. *(À part.)* Tu me paieras l'imposture.
> GÉRONTE. – Eh ?
> SCAPIN. – Je dis que vos ennemis seront bien attrapés (III, 2).

Le fait que l'aparté de convention est anormalement rompu permet aussi d'établir une connivence entre Scapin et le public, tout en renforçant les effets comiques, car les deux répliques n'ont aucune proximité phonétique.

Scapin, interprété par Molière, se comporte tout au long de la pièce comme le metteur en scène des fourberies, dans un effet de mise en abyme. Il tâche de faire répéter à Octave son rôle pour préparer la confrontation avec son père, avec force indication de jeu (I, 5). Le lexique théâtral et les consignes données à Octave sur sa posture transforment le passage en une scène de théâtre dans le théâtre. Plus loin, Scapin metteur en scène recrute avec soin l'acteur qu'il lui faut pour interpréter sa fourberie :

> SCAPIN. – Laisse-moi faire, la machine est trouvée. Je cherche seulement dans ma tête un homme qui nous soit affidé, pour jouer un personnage dont j'ai besoin. Attends. Tiens-toi un peu. Enfonce ton bonnet en méchant garçon. Campe-toi sur un pied. Mets la main au côté. Fais les yeux furibonds. Marche un peu en roi de théâtre. Voilà qui est bien. Suis-moi. J'ai des secrets pour déguiser ton visage et ta voix (I, 5).

Le public du XVIIe siècle s'amuse de voir Scapin-Molière diriger ses acteurs en brouillant ainsi les frontières entre fiction et réalité. Il est intéressant à ce titre de comparer ce passage avec sa source potentielle, la comédie de Rosimond intitulée *La Dupe amoureuse* [1] (1671). Le personnage du valet déguisé en spadassin pour mener à bien le stratagème est commun aux deux comédies. Chez Rosimond, c'est la servante Marine qui suggère le déguisement [2] ; Carille endosse le rôle pour tromper Polidore et choisit de prendre aussi un accent gascon qui déforme à l'écrit la graphie de ses répliques, transformant notamment les « v » en « b ». Scapin et Silvestre jouent la même pièce à Argante, à ceci près que c'est Scapin qui règle tous les détails du déguisement et de l'interprétation du rôle.

---

1. La source est présentée par C. Bourqui, dans *Les Sources de Molière*, *op. cit.*, p. 319-321.
2. « Dis-moi pourrais-tu bien faire le fier-à-bras,/ Ne parler que de sang, de fer, de trépas », *ibid.*, p. 319.

Enfin, Scapin-Molière fait montre de ses talents d'interprète à la scène 2 du troisième acte. Tour à tour gascon furieux, basque belliqueux, et « demi-douzaine de soldats », tout en alternant avec « son ton naturel » lorsqu'il reprend sa véritable identité, Scapin doit faire preuve d'une virtuosité sans pareille. La didascalie : « *Tout le langage gascon est supposé de celui qu'il contrefait, et le reste de lui* », précise cette alternance des voix.

Ce jeu à divers degrés avec le caractère conventionnel du théâtre rappelle constamment au public qu'il est la victime d'une fourberie consentie lorsqu'il adhère sans réserve au principe de l'illusion mimétique et en adopte toutes les conventions (les apartés, les liaisons de scène permettant de faire avancer l'action au sein d'un même espace, les déguisements créant des *quiproquos*, etc.). Ces divers procédés sont fréquents dans toutes les comédies de Molière, mais rarement aussi condensés qu'au sein de ce petit espace de trois actes ; ils en viennent presque à mettre au second plan la fable elle-même pour mieux mettre en valeur ces « trois actes de théâtre pur [1] ».

MONTER LES *FOURBERIES* : DEUX MISES EN SCÈNE À LA COMÉDIE-FRANÇAISE

Depuis la mort de Molière en 1673 et malgré des débuts timides, cette comédie a été montée par bien des troupes, sur bien des théâtres au cours des 350 dernières années. Très vite, elle devient l'une des comédies de Molière régulièrement montée par la troupe de la Comédie-Française et rencontre un succès constant lors de ces

---

1. L'expression est de Denis Podalydès, dans la brochure du spectacle créé en 2017.

représentations. En 1999, Jean Serroy opposait deux interprétations possibles du personnage de Scapin, l'une tournée vers le jeu à l'italienne et la volonté de divertir par le rire et les virtuosités scéniques, l'autre « privilégiant davantage la finesse du personnage que sa fantaisie comique [1] ». Les mises en scène actuelles se posent aussi cette question de l'attitude de Scapin vis-à-vis de ses fourberies et des motivations qui le poussent à agir. Il semble également que les représentations de la comédie questionnent désormais plus frontalement la tradition dans laquelle s'inscrivent *Les Fourberies de Scapin*, en réfléchissant aux différentes influences génériques possibles, de la farce à la petite comédie en passant par la *commedia dell'arte*. C'est là un signe probable des interactions fécondes entre les avancées de la recherche et ses échos dans la sphère artistique. La relecture de l'œuvre de Molière proposée dans l'édition Pléiade de 2010 et les recherches sur les rapports entre Molière et la comédie italienne, menées notamment par Claude Bourqui depuis les années 1990, ont en effet influencé les mises en scène au point que les éléments farcesques, auparavant primordiaux dans la perception de la pièce, soient progressivement estompés au profit de la valorisation de l'empreinte de la *commedia dell'arte* sur la dramaturgie et l'esthétique de l'œuvre. À vingt ans d'écart, deux mises en scène des *Fourberies de Scapin* à la Comédie-Française permettent de retracer cette évolution de la perception du comique moliéresque.

Lorsqu'en 1998 Jean-Louis Benoît propose à l'administrateur de la Comédie-Française de l'époque de monter *Les Fourberies de Scapin*, cela fait une vingtaine

---

1. *Les Fourberies de Scapin*, éd. J. Serroy, *op. cit.*, p. 108.

d'années déjà que la comédie n'a pas été jouée au Français. Pour le décor, il fait appel à Alain Chambon, qui opte pour l'épure en proposant un plateau nu (à l'exception de deux tabourets) avec en fond de scène un décor maritime très sobre [1]. Peut-être est-ce là un moyen d'évoquer les circonstances de la création de la pièce, d'abord interprétée sur une scène aux dimensions réduites à cause des travaux en cours au Palais-Royal. Cette mise en scène n'évoque pas l'influence de la *commedia dell'arte* mais suggère plutôt un rapprochement possible avec la farce. C'est sans doute le sens qu'il faut donner au maquillage blanc peignant le visage des comédiens, car les farceurs du début du XVIIe siècle ont coutume d'être grimés ainsi, et Jodelet – qui achève sa carrière au sein de la troupe de Molière – est notamment connu pour sa « gueule enfarinée ». La mise en scène introduit aussi un comique gestuel avec des jeux de scène volontairement répétitifs comme les fréquentes tentatives d'étranglement des différents personnages qui se prennent à la gorge pour exprimer la colère ou l'inquiétude. Ces formes de duels comiques, comme lorsque Argante (Christian Blanc) et Géronte (Gérard Giroudon) se secouent mutuellement par le cou tout en se reprochant les failles éducatives (II, 1), ne sont pas sans rappeler un comique de geste à la manière de pantins de foire. De même, avec une raideur délibérée du jeu, les personnages tombent à terre régulièrement comme s'ils voulaient illustrer le rire

---

1. La pièce s'ouvre sur un dispositif proche du théâtre de marionnettes avec une maquette de voilier en trois dimensions que l'on fait voguer sur un grand tissu bleu animé ; à l'acte II, un nuage en carton-pâte vient remplacer le voilier, et à l'acte III une petite lune à la forme enfantine signale la tombée de la nuit.

comme « mécanique plaquée sur du vivant » de Bergson [1] : Argante par exemple, tombe net au sol quand Scapin mentionne « cinq ou six cents pistoles » (II, 6). Cette raideur de pantin est poussée à l'extrême dans la scène 3 du troisième acte lorsque, après avoir été roué de coups dans la scène précédente, Géronte, encore davantage humilié par le rire de Zerbinette (Florence Viala), adopte une démarche totalement désarticulée. La jeune et délicate Hyacinthe, interprétée par Isabelle Gardien, tourne aussi à la farce grâce à ses pleurs comiques caricaturaux : toujours flanquée de sa nourrice (Delphine Salsaka) muette et en costume austère évoquant les peintures flamandes, elle souffle bruyamment dans son mouchoir, ce qui, nuançant la grâce du personnage, rend quelque peu ridicules les élans amoureux d'Octave (Denis Podalydès).

Mise en scène de J.-L. Benoît à la Comédie-Française en 1998.

---

1. Henri Bergson, *Le Rire : essai sur la signification du comique*, Félix Alcan, 1900.

Toutefois ces éléments de comique un peu caricaturaux sont compensés par une certaine gravité que souligne l'univers sonore : presque à la fin de chaque scène,
des coups de tonnerre menaçants ou une musique épique
assombrissent la gaîté. C'est surtout l'interprétation
grave du personnage de Scapin par Philippe Torreton qui
vient nuancer le caractère enjoué de la comédie : l'entrée
en scène de Scapin est d'emblée marquée par une certaine gravité car, après la grande agitation de la première
scène dans laquelle Octave et Sylvestre (Bruno Rafaelli)
courent sur la scène et hurlent leurs répliques pour couvrir les coups de tonnerre, les spectateurs entendent soudain le bruit des oiseaux et le calme revient pour laisser
parler un Scapin très posé et sérieux. Philippe Torreton
garde ce sérieux durant toute la pièce, avec un visage
parfois presque impassible, bien loin de ce qu'on peut
imaginer du jeu grimacier de Molière lorsqu'il interpré-
tait le rôle. C'est d'ailleurs une gravité que toutes les
critiques contemporaines ont remarquée, que ce soit
pour souligner le mérite d'une mise en scène qui ne
tombe pas dans la farce grossière ou au contraire pour la
regretter. Ainsi, le critique Jacques Nerson explique que,
sous prétexte de ne pas « confondre Scapin avec Arle-
quin » et de ne pas jouer « un valet sautillant de *commedia dell'arte* », on donne une interprétation trop froide
– ou pas assez italienne, Scapin étant « aussi peu napolitain que possible » –, Philippe Torreton offrant un
Scapin dénué de joie qui accomplit ses ruses comme un
« fonctionnaire de la fourberie [1] ».

---

1. Chronique de Jacques Nerson parue dans la *Revue des Deux
Mondes*, février 1998, p. 163.

D'Octave, l'amoureux transi, Denis Podalydès devient metteur en scène des *Fourberies de Scapin* à la Comédie-Française, en octobre 2017. La volonté d'inscrire davantage la comédie dans l'héritage de la *commedia dell'arte* est manifeste dans la brochure du spectacle : Denis Podalyès intitule son texte d'intention, « Le ciel s'est habillé ce soir en Scaramouche [1] ». De plus, l'ancrage napolitain suggéré par la didascalie initiale est d'emblée perceptible par les spectateurs grâce à la scénographie imaginée par Éric Ruf. Le tableau d'Auguste Mayer, *Scène de la bataille de Trafalgar* (1836), qui représente des navires en mer, est projeté en fond de salle (on aperçoit seulement le haut du tableau) tandis qu'un dispositif de palissades et d'échafaudages et une série d'accessoires marins évoquent le port de Naples, tout en rappelant également l'espace de scène réduit du temps de la création de Molière. Dès l'ouverture, les bruits du port avec la corne de brume, le chant des mouettes et des vagues, se mêlent à une musique italienne. Ce décor réaliste et bien plus riche que n'était celui de Jean-Louis Benoît souligne immédiatement la référence à l'Italie. De plus, Scapin (Benjamin Lavernhe) est bien plus *Scappino* que son prédécesseur : avec un petit ukulélé il joue des mélodies italiennes – à l'arrivée de Hyacinthe (Claire de La Rüe du Can), mais aussi à la fin de la pièce –, cabriole et court sur la scène, et surtout prend manifestement le plus grand plaisir aux fourberies qu'il met en place. Il entretient une connivence constante avec le public, en introduisant par exemple des jeux de scène supplémentaires : il mime à destination du public une silhouette de

---

1. Il s'agit d'un vers issu de la petite comédie du *Sicilien* (scène 1) qui, d'une manière métaphorique, signifie que la nuit est aussi noire que l'habit du personnage italien Scaramouche.

femme avantageuse lorsqu'il commente, après la description de Hyacinthe par Octave (Julien Frison), « je vois qu'elle était tout à fait charmante », faisant rire le public et renouant par là sans doute avec les intentions originelles de la comédie.

© Pascal Victor / ArtComPress via opale.photo

Mise en scène de Denis Podalydès à la Comédie-Française en 2017.

Les *lazzi* sont développés dans cette mise en scène, comme celui de la fuite d'Octave à la scène 3 du premier acte, l'acteur faisant des allers et retours sur la scène avant de disparaître. De même, les ronronnements de colère et d'hésitation de Géronte (Didier Sandre) sont volontairement tirés en longueur, tout comme le jeu de scène de la bourse qu'il fait tourner comme un lasso autour de sa tête. Les costumes imaginés par Christian Lacroix accentuent le comique, comme lorsque Silvestre (Bakary Sangaré) entre en scène déguisé en spadassin dans un costume exubérant, tout en poussant des cris inquiétants qui allongent là aussi le *lazzo* suggéré par le texte. La scène attendue du sac exploite tout l'espace scénique, de la trappe du souffleur au public même, grâce à une grue que Carle (Maïka Louakairim) manipule pour faire passer le sac au-dessus des spectateurs. Ces derniers sont même conviés à participer au spectacle de plusieurs manières ; un spectateur est invité à battre à son tour le sac, et Scapin, en chef d'orchestre fait scander aux loges un « Gé-ronte » menaçant tandis que le parterre, en claquant des doigts, imite le bruit des soldats. Enfin, le rire de Zerbinette (Adeline d'Hermy) se prolonge à loisir de manière naturelle grâce à la gouaille et à la sensualité qui se dégagent de la comédienne, à l'image de l'interprète originale, Mlle Beauval. Suivant davantage l'esprit de la *commedia dell'arte,* la mise en scène de Denis Podalydès étire les *lazzi* et permet aux différents comédiens de se démarquer dans des numéros d'acteur.

Le plus grand point commun entre les deux mises en scène réside sans doute dans le souci de souligner la métathéâtralité de la pièce. Chez Denis Podalydès, la scène de répétition d'Octave exhibe l'impression d'un théâtre dans le théâtre car les deux valets, accompagnés d'une « utilité » féminine, se posent en spectateurs comme un nouveau public. Chez Jean-Louis Benoît, un second rideau disposé sur la scène et trois coups de théâtre donnés par Scapin à l'aide de son bâton présentent la scène du sac comme une pièce dans la pièce. Les deux mises en scène mettent aussi en valeur le rôle de Scapin comme metteur en scène de toutes les fourberies : par des sifflements directifs, celui-ci orchestre l'entrée en scène de Silvestre déguisé en spadassin (II, 6). C'est là sans doute une manière de rendre hommage au projet originel de Molière qui, toujours, cherche à entretenir une complicité avec son public ; de la même manière qu'au XVIIe siècle, les metteurs en scène d'aujourd'hui veulent séduire le public par ces clins d'œil à la nature même du théâtre.

NOTE SUR LA PRÉSENTE ÉDITION

Le texte de la présente édition a été établi d'après l'édition originale, soit celle parue en 1671 chez Pierre Le Monnier à Paris. L'exemplaire consulté (disponible en ligne sur le site Gallica) est au format in-12 et contient 123 pages. Pour faciliter la compréhension du texte, nous avons choisi de moderniser systématiquement l'orthographe (« reçu » pour « reçeu », « mêler » pour « mesler », « lui » pour « luy », « pied » pour « pié », etc.) et nous avons restauré tous les accents, y compris sur les majuscules. Nous avons également supprimé les majuscules qui figurent à l'initiale de nombreux substantifs et qui n'apparaîtraient plus en français moderne. Nous avons toutefois préféré garder à l'identique la ponctuation, même quand elle surprend (par exemple à la scène 3 de l'acte II : « LÉANDRE. – Assurément. » sans point d'interrogation) pour ne pas forcer une interprétation et pour respecter le fait qu'au XVIIᵉ siècle elle peut répondre à des règles rythmiques propres à la déclamation théâtrale. Toutefois, nous avons ajouté des guillemets dans la scène 2 du troisième acte pour distinguer les différents personnages interprétés par Scapin dans la « scène du sac », afin de faciliter la lecture. De même, nous avons suivi les didascalies de l'édition originale, y compris lorsque les apartés ou les adresses ne sont pas signalés (une note précise le personnage auquel s'adresse la réplique en cas d'ambiguïté, et nous précisons, lorsque cela nous semble nécessaire, l'ajout d'une didascalie dans l'édition posthume de 1682).

Les notes de lexique sont issues des deux ouvrages suivants :

– Furetière : Antoine Furetière, *Dictionnaire universel*, 1690 ;

– Académie : *Le Dictionnaire de l'Académie française, dédié au roi*, 1694.

C.P.

Les Fourberies de Scapin

Comédie
Par J.B.P. Molière

Et se vend pour l'auteur
à Paris
CHEZ PIERRE LE MONNIER,
au Palais, vis-à-vis la Porte de l'Église de la S. Chapelle,
à l'image S. Louis, et au Feu Divin
M. DC. LXXI.
Avec privilège du roi

Acteurs [1]

ARGANTE, père d'Octave et de Zerbinette [2].

GÉRONTE, père de Léandre et de Hyacinte.

OCTAVE, fils d'Argante, et amant de Hyacinte.

LÉANDRE, fils de Géronte, et amant de Zerbinette.

ZERBINETTE, crue Égyptienne [3], et reconnue fille d'Argante, et amante de Léandre.

HYACINTE, fille de Géronte, et amante d'Octave.

SCAPIN, valet d'Octave, et fourbe [4].

SILVESTRE, valet de Léandre.

NÉRINE, nourrice de Hyacinte.

CARLE, fourbe [5].

deux porteurs.

La scène est à Naples [6].

---

1. Sur la distribution originale voir Présentation, p. 24.

2. La liste des personnages révèle d'emblée ce que le spectateur n'apprend que lors de la scène de reconnaissance finale : Zerbinette se trouve être la fille d'Argante, enlevée par des Turcs à l'âge de quatre ans.

3. Signifie ici bohémienne, vagabonde (voir note 6, p. 53)

4. Sur ce qualificatif, voir la Présentation, p. 27-28.

5. On peut s'étonner de cette précision appliquée à une utilité. Le personnage de Carle n'apparaît qu'à la fin pour annoncer la supposée mort de Scapin ; cela permet peut-être de trancher le débat sur la mort réelle ou factice de Scapin à la fin : si c'est un « fourbe » qui annonce celle-ci, c'est sans doute qu'il s'agit là d'une ultime fourberie de la part de Scapin et de Carle.

6. Rares sont les pièces de Molière qui se passent hors de France (seul *L'Étourdi* se passe à Messine, en Italie). C'est sans doute là une manière de souligner d'emblée l'influence que la comédie italienne a pu avoir sur la pièce.

ACTE PREMIER

Scène première

OCTAVE, SILVESTRE

OCTAVE

Ah ! fâcheuses nouvelles pour un cœur amoureux ! Dures extrémités où je me vois réduit ! Tu viens, Silvestre, d'apprendre au port que mon père revient [1] ?

SILVESTRE

Oui.

OCTAVE

Qu'il arrive ce matin même ?

SILVESTRE

Ce matin même.

OCTAVE

Et qu'il revient dans la résolution de me marier ?

SILVESTRE

Oui.

OCTAVE

Avec une fille du seigneur Géronte ?

---

1. Molière s'est manifestement souvenu de l'exposition de *La Sœur* de Rotrou (1645) dont voici les premiers vers : « Ô fatale nouvelle et qui me désespère !/ Mon oncle te l'a dit et le tient de mon père. » Les échos au texte de Rotrou se poursuivent jusqu'à la réplique d'Octave : « Ah parle, si tu veux, et ne te fais point, de la sorte, arracher les mots de la bouche. » Il s'agit là d'un emprunt de réminiscence : Molière ayant probablement interprété le rôle d'Ergaste en 1662 il en aurait retenu certains passages

SILVESTRE

Du seigneur Géronte.

OCTAVE

Et que cette fille est mandée[1] de Tarente[2] ici pour cela ?

SILVESTRE

Oui.

OCTAVE

Et tu tiens ces nouvelles de mon oncle ?

SILVESTRE

De votre oncle.

OCTAVE

À qui mon père les a mandées par une lettre ?

SILVESTRE

Par une lettre.

OCTAVE

Et cet oncle, dis-tu, suit toutes nos affaires.

SILVESTRE

Toutes nos affaires.

OCTAVE

Ah parle, si tu veux, et ne te fais point, de la sorte, arracher les mots de la bouche.

---

au moment de la rédaction des *Fourberies*, voir C. Bourqui, *Les Sources de Molière, op. cit.*, p. 316.
1. Envoyée.
2. Ville portuaire du sud de l'Italie. Sans que le texte en précise la raison, on apprend plus loin que Géronte a eu une fille d'un deuxième mariage, qu'il a fait élever à Tarente.

SILVESTRE

Qu'ai-je à parler davantage ! Vous n'oubliez aucune circonstance, et vous dites les choses tout justement comme elles sont.

OCTAVE

Conseille-moi, du moins, et me dis [1] ce que je dois faire dans ces cruelles conjonctures.

SILVESTRE

Ma foi, je m'y trouve autant embarrassé [2] que vous, et j'aurais bon besoin [3] que l'on me conseillât moi-même.

OCTAVE

Je suis assassiné [4] par ce maudit retour.

SILVESTRE

Je ne le suis pas moins.

OCTAVE

Lorsque mon père apprendra les choses, je vais voir fondre sur moi un orage soudain d'impétueuses réprimandes.

SILVESTRE

Les réprimandes ne sont rien ; et plût au Ciel que j'en fusse quitte à ce prix ! Mais j'ai bien la mine, pour moi, de payer plus cher vos folies, et je vois se former de loin un nuage de coups de bâton qui crèvera sur mes épaules [5].

---

1. Dis-moi. Au XVIIᵉ siècle lorsque deux impératifs sont coordonnés, le pronom personnel complément du second se place avant le verbe.
2. Ennuyé (au sens fort du XVIIᵉ siècle).
3. J'aurais bien besoin.
4. Accablé. L'hyperbole est courante ; elle est identifiée par Furetière : « se dit hyperboliquement pour dire : importuner beaucoup ».
5. Cette réplique peut avoir un aspect à la fois prophétique et ironique : la célèbre bastonnade de la scène 2 de l'acte III ne « crèvera » pas sur les épaules de Silvestre mais sur celles de Géronte. Cela

OCTAVE

Ô Ciel ! par où sortir de l'embarras où je me trouve ?

SILVESTRE

C'est à quoi vous deviez songer, avant que de vous y jeter.

OCTAVE

Ah tu me fais mourir par tes leçons hors de saison [1].

SILVESTRE

Vous me faites bien plus mourir par vos actions étourdies [2].

OCTAVE

Que dois-je faire ? Quelle résolution prendre ? À quel remède recourir ?

Scène 2

SCAPIN, OCTAVE, SILVESTRE

SCAPIN

Qu'est-ce, seigneur Octave, qu'avez-vous ? Qu'y a-t-il ? Quel désordre est-ce là ? Je vous vois tout troublé.

---

accentue la connivence avec le public, d'autant plus que l'image est plusieurs fois exploitée par Molière dans deux comédies qui précèdent : dans *Le Médecin volant* on parle d'un « nuage fort épais » menaçant d'éclater en « grêle » de coups de bâton (scène 14), et dans *Amphitryon* d'un « orage de coups » (I, 2, v. 342).

1. Qui viennent trop tard.

2. Le choix de cet adjectif n'est peut-être pas anodin et peut renvoyer à *L'Étourdi* de Molière, paru en 1662. Sur les liens thématiques entre les deux pièces, voir « Dossier », p. 156.

OCTAVE

Ah, mon pauvre Scapin, je suis perdu ; je suis désespéré ; je suis le plus infortuné [1] de tous les hommes.

SCAPIN

Comment ?

OCTAVE

N'as-tu rien appris de ce qui me regarde ?

SCAPIN

Non.

OCTAVE

Mon père arrive avec le seigneur Géronte, et ils me veulent marier.

SCAPIN

Hé bien, qu'y a-t-il là de si funeste ?

OCTAVE

Hélas ! tu ne sais pas la cause de mon inquiétude ?

SCAPIN

Non ; mais il ne tiendra qu'à vous que je ne la sache bientôt ; et je suis homme consolatif [2], homme à m'intéresser aux affaires des jeunes gens.

OCTAVE

Ah ! Scapin, si tu pouvais trouver quelque invention [3], forger quelque machine [4], pour me tirer de la peine où je suis, je croirais t'être redevable de plus que de la vie.

---

1. Malchanceux.
2. Enclin à consoler (vocabulaire religieux).
3. Stratagème.
4. Plan, ruse.

SCAPIN

À vous dire la vérité, il y a peu de choses qui me soient impossibles, quand je m'en veux mêler. J'ai sans doute [1] reçu du Ciel un génie assez beau pour toutes les fabriques [2] de ces gentillesses d'esprit, de ces galanteries ingénieuses à qui le vulgaire [3] ignorant donne le nom de Fourberies [4] ; et je puis dire sans vanité, qu'on n'a guère vu d'homme qui fût plus habile ouvrier de ressorts et d'intrigues ; qui ait acquis plus de gloire que moi dans ce noble métier : mais, ma foi, le mérite est trop maltraité aujourd'hui, et j'ai renoncé à toutes choses depuis certain chagrin d'une affaire qui m'arriva.

OCTAVE

Comment ? quelle affaire, Scapin ?

SCAPIN

Une aventure où je me brouillai avec la justice.

OCTAVE

La justice !

SCAPIN

Oui, nous eûmes un petit démêlé ensemble.

SILVESTRE

Toi, et la justice ?

---

1. Sans aucun doute, assurément.
2. Inventions
3. Le tout-venant.
4. Plusieurs mises en scène proposent ici une rupture du quatrième mur en faisant mine de solliciter une réponse du public. Les deux mises en scène évoquées dans la Présentation, p. 34, exploitent ce comique de connivence. Nous choisissons de laisser la majuscule présente dans l'édition originale, pour garder la possibilité d'une allusion volontaire de la part de Molière au titre de la comédie.

SCAPIN

Oui. Elle en usa fort mal avec moi [1], et je me dépitai de telle sorte contre l'ingratitude du siècle que je résolus de ne plus rien faire. Baste [2]. Ne laissez pas de me conter [3] votre aventure.

OCTAVE

Tu sais, Scapin, qu'il y a deux mois que le seigneur Géronte, et mon père, s'embarquèrent ensemble pour un voyage qui regarde certain commerce où leurs intérêts sont mêlés.

SCAPIN

Je sais cela.

OCTAVE

Et que Léandre et moi nous fûmes laissés par nos pères ; moi sous la conduite de Silvestre ; et Léandre sous ta direction [4].

SCAPIN

Oui, je me suis fort bien acquitté de ma charge [5].

OCTAVE

Quelque temps après, Léandre fit rencontre d'une jeune Égyptienne [6] dont il devint amoureux.

---

1. Elle me traita très mal. Jean-Louis Benoît ajoute ici un élément venant éclaircir ce que Scapin ne fait qu'évoquer : Philippe Torreton, dans le rôle de Scapin, découvre à cet endroit son épaule pour laisser voir une blessure.

2. Il suffit, assez.

3. Racontez-moi malgré tout.

4. « On dit aussi un directeur de conscience, un directeur d'étude, en parlant de celui qui conduit la conscience, ou les études d'un autre » (Furetière).

5. La réplique est ironique : on apprend juste après que Léandre aussi envisage de se marier sans avoir consulté son père.

6. Dans l'univers de la comédie, les « Égyptiens » sont assimilés aux bohémiens (voir la Pléiade, *Œuvres complètes*, *op. cit.*, n. 3 p. 1478).

SCAPIN

Je sais cela encore.

OCTAVE

Comme nous sommes grands amis, il me fit aussitôt
confidence de son amour, et me mena voir cette fille,
que je trouvai belle à la vérité, mais non pas tant qu'il
voulait que je la trouvasse. Il ne m'entretenait que d'elle
chaque jour ; m'exagérait à tous moments sa beauté et sa
grâce ; me louait son esprit, et me parlait avec transport
des charmes de son entretien [1], dont il me rapportait
jusqu'aux moindres paroles, qu'il s'efforçait toujours de
me faire trouver les plus spirituelles du monde. Il me
querellait [2] quelquefois de n'être pas assez sensible aux
choses qu'il me venait dire, et me blâmait sans cesse de
l'indifférence où j'étais pour les feux de l'amour.

SCAPIN

Je ne vois pas encore où ceci veut aller.

OCTAVE

Un jour que je l'accompagnais pour aller chez les gens
qui gardent l'objet de ses vœux [3], nous entendîmes dans
une petite maison d'une rue écartée, quelques plaintes
mêlées de beaucoup de sanglots. Nous demandons ce
que c'est. Une femme nous dit en soupirant, que nous
pouvions voir là quelque chose de pitoyable en des personnes étrangères, et qu'à moins que d'être insensibles,
nous en serions touchés.

Cela concorde avec la description que Zerbinette fait plus loin des
gens qui l'ont recueillie (III, 3).
1. Sa conversation.
2. Me reprochait.
3. Périphrase topique du style galant, désignant l'être aimé.

SCAPIN

Où est-ce que cela nous mène ?

OCTAVE

La curiosité me fit presser Léandre de voir ce que c'était. Nous entrons dans une salle, où nous voyons une vieille femme mourante, assistée d'une servante qui faisait des regrets, et d'une jeune fille toute fondante en larmes, la plus belle, et la plus touchante qu'on puisse jamais voir [1].

SCAPIN

Ah, ah.

OCTAVE

Un autre [2] aurait paru effroyable en l'état où elle était ; car elle n'avait pour habillement qu'une méchante [3] petite jupe avec des brassières [4] de nuit qui étaient de simple futaine [5] ; et sa coiffure était une cornette jaune [6], retroussée au haut de sa tête, qui laissait tomber en désordre ses cheveux sur ses épaules ; et cependant faite comme cela [7], elle brillait de mille attraits, et ce n'était qu'agréments et que charmes que toute sa personne.

SCAPIN

Je sens venir les choses.

---

1. Toute la scène est largement inspirée du *Phormion* de Térence, voir C. Bourqui, *Les Sources de Molière, op. cit*, p. 312.
2. Comprendre « une autre femme ». Le pronom neutre peut parfois désigner le genre féminin dans le style élevé (comme souligné dans l'édition Pléiade).
3. Laide.
4. Simple chemise.
5. « Étoffe de fil et de coton » (Furetière).
6. Coiffe de nuit ordinaire.
7. Ainsi vêtue.

OCTAVE

Si tu l'avais vue, Scapin, en l'état que je dis, tu l'aurais trouvée admirable.

SCAPIN

Oh je n'en doute point ; et sans l'avoir vue, je vois bien qu'elle était tout à fait charmante.

OCTAVE

Ses larmes n'étaient point de ces larmes désagréables, qui défigurent un visage ; elle avait à pleurer une grâce touchante ; et sa douleur était la plus belle du monde [1].

SCAPIN

Je vois tout cela.

OCTAVE

Elle faisait fondre chacun en larmes, en se jetant amoureusement [2] sur le corps de cette mourante, qu'elle appelait sa chère mère ; et il n'y avait personne qui n'eût l'âme percée, de voir un si bon naturel.

SCAPIN

En effet, cela est touchant ; et je vois bien que ce bon naturel-là vous la fit aimer.

OCTAVE

Ah ! Scapin, un barbare l'aurait aimée.

---

1. L'amour augmenté par les larmes de la femme est un motif récurrent de la littérature de l'époque. Au théâtre, on peut penser par exemple à l'émotion de Néron face aux pleurs de Junie dans *Britannicus* de Racine (1669), ou encore à l'apitoiement de Dom Juan face aux larmes d'Elvire chez Molière.
2. Avec affection.

SCAPIN

Assurément. Le moyen de s'en empêcher ?[1]

OCTAVE

Après quelques paroles, dont[2] je tâchai d'adoucir la douleur de cette charmante affligée[3], nous sortîmes de là ; et demandant à Léandre ce qu'il lui semblait de cette personne, il me répondit froidement qu'il la trouvait assez jolie. Je fus piqué de la froideur avec laquelle il m'en parlait, et je ne voulus point lui découvrir l'effet que ses beautés avaient fait sur mon âme.

SILVESTRE

Si vous n'abrégez ce récit, nous en voilà pour jusqu'à demain. Laissez-le-moi finir en deux mots[4]. Son cœur prend feu dès ce moment. Il ne saurait plus vivre, qu'il n'aille consoler[5] son aimable[6] affligée. Ses fréquentes visites sont rejetées de la servante, devenue la gouvernante par le trépas de la mère ; voilà mon homme au désespoir. Il presse, supplie, conjure ; point d'affaire. On lui dit que la fille, quoique sans bien, et sans appui, est de famille honnête ; et qu'à moins que de l'épouser, on

1. Comment s'en empêcher ?
2. Par lesquelles.
3. La substantivation de l'adjectif en fait une sorte d'icône, de motif romanesque. Le site Molière21 signale d'ailleurs que l'expression « charmante affligée » se trouve aussi dans une nouvelle galante datant de 1663 : Anonyme, *Le Divertissement de Forges où les aventures de plusieurs personnes de qualité sont fidèlement décrites*, Paris, Barbin, 1663.
4. On peut voir dans cette réplique un écho de *La Sœur* de Rotrou : « Le jour achèvera plus tôt que ce discours/ Laissez-le-moi finir avec une parole », Rotrou, *La Sœur*, I, 4.
5. Sans aller consoler.
6. Digne d'amour.

ne peut souffrir ses poursuites [1]. Voilà son amour augmenté par les difficultés [2]. Il consulte dans sa tête, agite,
raisonne, balance, prend sa résolution ; le voilà marié
avec elle depuis trois jours.

SCAPIN

J'entends.

SILVESTRE

Maintenant mets avec cela le retour imprévu du père,
qu'on n'attendait que dans deux mois ; la découverte que
l'oncle a faite du secret de notre mariage, et l'autre
mariage qu'on veut faire de lui avec la fille que le seigneur Géronte a eue d'une seconde femme qu'on dit
qu'il a épousée à Tarente.

OCTAVE

Et par-dessus tout cela mets encore l'indigence où se
trouve cette aimable personne, et l'impuissance où je me
vois d'avoir de quoi la secourir.

SCAPIN

Est-ce là tout ? Vous voilà bien embarrassés tous deux
pour une bagatelle. C'est bien là de quoi se tant alarmer.
N'as-tu point de honte, toi, de demeurer court [3] à si peu
de chose ? Que diable, te voilà grand et gros comme père
et mère, et tu ne saurais trouver dans ta tête, forger dans
ton esprit quelque ruse galante, quelque honnête petit
stratagème, pour ajuster vos affaires ? Fi. Peste soit du

---

1. La cour qu'il lui mène. Cette version des faits sera corroborée par
Nérine (III, 9).
2. Ce genre de considération sur l'amour rattache la comédie à l'univers galant et notamment aux questions d'amour discutées dans les
salons et recueils mondains de l'époque (voir Présentation, p. 14).
3. De ne pas trouver de solution.

butor [1] ! Je voudrais bien que l'on m'eût donné autrefois nos vieillards à duper ; je les aurais joués tous deux par-dessous la jambe [2] ; et je n'étais pas plus grand que cela que je me signalais déjà par cent tours d'adresse jolis.

SILVESTRE

J'avoue que le Ciel ne m'a pas donné tes talents, et que je n'ai pas l'esprit, comme toi, de me brouiller avec la justice.

OCTAVE

Voici mon aimable Hyacinte.

Scène 3

HYACINTE, OCTAVE, SCAPIN, SILVESTRE

HYACINTE

Ah, Octave, est-il vrai ce que Silvestre vient de dire à Nérine ? Que votre père est de retour, et qu'il veut vous marier ?

OCTAVE

Oui, belle Hyacinte, et ces nouvelles m'ont donné une atteinte cruelle. Mais que vois-je ? vous pleurez [3] ! Pourquoi ces larmes ? Me soupçonnez-vous, dites-moi, de quelque infidélité, et n'êtes-vous pas assurée de l'amour que j'ai pour vous ?

---

1. Maudit soit le sot.
2. Sans problème. « Il a tant d'avantage sur vous qu'il vous jouerait par-dessous la jambe » (Furetière).
3. Si Hyacinthe séduit par ses larmes, Zerbinette, elle, séduira par son rire et son enjouement naturel.

HYACINTE

Oui, Octave, je suis sûre que vous m'aimez ; mais je ne
le suis pas que vous m'aimiez toujours.

OCTAVE

Eh peut-on vous aimer, qu'on ne vous aime [1] toute sa vie ?

HYACINTE

J'ai ouï dire, Octave, que votre sexe aime moins longtemps que le nôtre, et que les ardeurs que les hommes
font voir, sont des feux qui s'éteignent aussi facilement
qu'ils naissent.

OCTAVE

Ah ! ma chère Hyacinte, mon cœur n'est donc pas fait
comme celui des autres hommes, et je sens bien pour
moi que je vous aimerai jusqu'au tombeau.

HYACINTE

Je veux croire que vous sentez ce que vous dites, et je ne doute
point que vos paroles ne soient sincères ; mais je crains un
pouvoir, qui combattra dans votre cœur les tendres sentiments que vous pouvez avoir pour moi. Vous dépendez d'un
père, qui veut vous marier à une autre personne ; et je suis
sûre que je mourrai, si ce malheur m'arrive.

OCTAVE

Non, belle Hyacinte, il n'y a point de père qui puisse me
contraindre à vous manquer de foi, et je me résoudrai à
quitter mon pays, et le jour [2] même, s'il est besoin,
plutôt qu'à vous quitter. J'ai déjà pris, sans l'avoir vue,
une aversion effroyable pour celle que l'on me destine ;

---

1. Sans vous aimer.
2. La vie, c'est-à-dire : il est prêt à mourir.

et, sans être cruel, je souhaiterais que la mer l'écartât d'ici pour jamais. Ne pleurez donc point, je vous prie, mon aimable Hyacinte, car vos larmes me tuent, et je ne les puis voir sans me sentir percer le cœur.

HYACINTE

Puisque vous le voulez, je veux bien essuyer mes pleurs, et j'attendrai d'un œil constant ce qu'il plaira au Ciel de résoudre [1] de moi.

OCTAVE

Le Ciel nous sera favorable.

HYACINTE

Il ne saurait m'être contraire, si vous m'êtes fidèle.

OCTAVE

Je le serai assurément.

HYACINTE

Je serai donc heureuse.

SCAPIN [2]

Elle n'est pas tant sotte, ma foi ! et je la trouve assez passable [3].

OCTAVE

Voici un homme qui pourrait bien, s'il le voulait, nous être dans tous nos besoins, d'un secours merveilleux [4].

---

1. Décider.
2. Le texte original ne précise pas l'aparté ici.
3. Belle. Le terme est en vogue dans les salons mondains pour qualifier la beauté du visage.
4. Scapin est introduit comme un homme providentiel apte à sauver la situation. Il faut entendre « merveilleux » au sens littéral, presque « doué de magie ».

SCAPIN

J'ai fait de grands serments de ne me mêler plus du monde ; mais, si vous m'en priez bien fort tous deux, peut-être…

OCTAVE

Ah s'il ne tient qu'à te prier bien fort, pour obtenir ton aide, je te conjure de tout mon cœur de prendre la conduite de notre barque.

SCAPIN

Et vous, ne me dites-vous rien ?

HYACINTE

Je vous conjure, à son exemple, par tout ce qui vous est le plus cher au monde, de vouloir servir notre amour.

SCAPIN

Il faut se laisser vaincre, et avoir de l'humanité. Allez, je veux m'employer pour vous.

OCTAVE

Crois que…

SCAPIN

Chut. Allez-vous-en, vous, et soyez en repos [1]. Et vous, préparez-vous à soutenir avec fermeté l'abord de votre père [2].

OCTAVE

Je t'avoue que cet abord me fait trembler par avance, et j'ai une timidité naturelle que je ne saurais vaincre.

---

1. Rassurée. Cette réplique est adressée à Hyacinthe, la suivante à Octave.
2. Sa venue. À ce stade, Scapin est officiellement intronisé comme le maître du jeu : il réclame le silence et donne des ordres à tous pour que la « machine » se déroule selon ses plans.

SCAPIN

Il faut pourtant paraître ferme au premier choc, de peur que sur votre faiblesse, il ne prenne le pied de vous mener comme un enfant. Là, tâchez de vous composer par étude[1]. Un peu de hardiesse, et songez à répondre résolument sur tout ce qu'il pourra vous dire.

OCTAVE

Je ferai du mieux que je pourrai.

SCAPIN

Çà[2], essayons un peu, pour vous accoutumer. Répétons un peu votre rôle, et voyons si vous ferez bien. Allons. La mine résolue, la tête haute, les regards assurés.

OCTAVE

Comme cela ?

SCAPIN

Encore un peu davantage.

OCTAVE

Ainsi ?

SCAPIN

Bon. Imaginez-vous que je suis votre père qui arrive, et répondez-moi fermement, comme si c'était à lui-même. « Comment, pendard, vaurien, infâme, fils indigne d'un père comme moi, oses-tu bien paraître devant mes yeux, après tes bons déportements[3], après le lâche tour que tu m'as joué pendant mon absence ? Est-ce là le fruit de mes soins, maraud, est-ce là le fruit de mes soins ? le respect qui

---

1. De vous composer un masque par feinte, en répétant votre rôle.
2. Allons !
3. Tes mauvais comportements.

m'est dû ? le respect que tu me conserves ? Allons donc. Tu as l'insolence, fripon, de t'engager sans le consentement de ton père ; de contracter un mariage clandestin ? Réponds-moi, coquin, réponds-moi. Voyons un peu tes belles raisons. » Oh que diable ! vous demeurez interdit [1].

OCTAVE

C'est que je m'imagine que c'est mon père que j'entends.

SCAPIN

Eh oui. C'est par cette raison qu'il ne faut pas être comme un innocent [2].

OCTAVE

Je m'en vais prendre plus de résolution, et je répondrai fermement.

SCAPIN

Assurément ?

OCTAVE

Assurément.

SILVESTRE

Voilà votre père qui vient.

OCTAVE

Ô Ciel ! je suis perdu.

SCAPIN

Holà, Octave, demeurez. Octave. Le voilà enfui [3]. Quelle pauvre espèce d'homme ! Ne laissons pas d'attendre [4] le vieillard.

---

1. Silencieux.
2. Un idiot, un simple d'esprit.
3. On reconnaît le *lazzo* de la fuite, voir C. Bourqui et C. Vinti, *Molière à l'école italienne, op. cit.*, p. 56.
4. Attendons néanmoins.

SILVESTRE

Que lui dirai-je ?

SCAPIN

Laisse-moi dire, moi, et ne fais que me suivre.

Scène 4

ARGANTE, SCAPIN, SILVESTRE

ARGANTE [1]

A-t-on jamais ouï parler d'une action pareille à celle-là ?

SCAPIN

Il a déjà appris l'affaire, et elle lui tient si fort en tête que tout seul il en parle haut.

ARGANTE

Voilà une témérité bien grande !

SCAPIN

Écoutons-le un peu.

ARGANTE

Je voudrais bien savoir ce qu'ils me pourront dire sur ce beau mariage.

SCAPIN

Nous y avons songé.

ARGANTE

Tâcheront-ils de me nier la chose ?

---

1. L'édition originale ne précise pas le jeu de scène qui veut qu'Argante se croie seul jusqu'à ce qu'il aperçoive Silvestre. De même, toutes les répliques de Scapin sont dites en aparté.

SCAPIN

Non, nous n'y pensons pas.

ARGANTE

Ou s'ils entreprendront de l'excuser ?

SCAPIN

Celui-là se pourra faire.

ARGANTE

Prétendront-ils m'amuser par des contes en l'air [1] ?

SCAPIN

Peut-être.

ARGANTE

Tous leurs discours seront inutiles.

SCAPIN

Nous allons voir.

ARGANTE

Ils ne m'en donneront point à garder [2].

SCAPIN

Ne jurons de rien.

ARGANTE

Je saurai mettre mon pendard de fils en lieu de sûreté [3].

SCAPIN

Nous y pourvoirons.

ARGANTE

Et pour le coquin de Silvestre, je le rouerai de coups.

---

1. Me raconter des histoires.
2. Ils ne m'auront pas.
3. En prison. Au XVIIe siècle, le droit autorise les pères à faire empri-
sonner leurs fils pour désobéissance.

SILVESTRE

J'étais bien étonné s'il m'oubliait[1].

ARGANTE

Ah, ah, vous voilà donc, sage gouverneur de famille, beau directeur de jeunes gens[2].

SCAPIN

Monsieur, je suis ravi de vous voir de retour.

ARGANTE

Bonjour, Scapin, vous[3] avez suivi mes ordres vraiment d'une belle manière, et mon fils s'est comporté fort sagement pendant mon absence.

SCAPIN

Vous vous portez bien, à ce que je vois ?

ARGANTE

Assez bien. *(À Silvestre.)* Tu ne dis mot, coquin, tu ne dis mot.

SCAPIN

Votre voyage a-t-il été bon ?

ARGANTE

Mon Dieu, fort bon. Laisse-moi un peu quereller en repos[4].

SCAPIN

Vous voulez quereller ?

---

1. J'aurais été bien étonné qu'il m'oubliât.
2. Voir note 4, p. 53.
3. Argante s'adresse à Scapin puis à Silvestre, mais l'édition originale ne le précise pas. L'édition de 1682 ajoute une didascalie « *À Silvestre* » avant ce « vous », sur le modèle de la réplique suivante d'Argante.
4. Tranquillement.

ARGANTE

Oui, je veux quereller.

SCAPIN

Et qui, Monsieur ?

ARGANTE

Ce maraud-là.

SCAPIN

Pourquoi ?

ARGANTE

Tu n'as pas ouï parler de ce qui s'est passé dans[1] mon absence ?

SCAPIN

J'ai bien ouï parler de quelque petite chose.

ARGANTE

Comment quelque petite chose ! Une action de cette nature ?

SCAPIN

Vous avez quelque raison.

ARGANTE

Une hardiesse pareille à celle-là ?

SCAPIN

Cela est vrai.

ARGANTE

Un fils qui se marie sans le consentement de son père ?

---

1. Pendant.

SCAPIN

Oui, il y a quelque chose à dire à cela. Mais je serais d'avis que vous ne fissiez point de bruit [1].

ARGANTE

Je ne suis pas de cet avis, moi, et je veux faire du bruit tout mon soûl. Quoi, tu ne trouves pas que j'aie tous les sujets du monde d'être en colère ?

SCAPIN

Si fait, j'y ai d'abord été, moi, lorsque j'ai su la chose, et je me suis intéressé pour vous [2], jusqu'à quereller votre fils. Demandez-lui un peu quelles belles réprimandes je lui ai faites, et comme je l'ai chapitré sur le peu de respect qu'il gardait à un père, dont il devait baiser les pas ? On ne peut pas lui mieux parler, quand ce serait vous-même. Mais quoi, je me suis rendu à la raison, et j'ai considéré que dans le fond, il n'a pas tant de tort qu'on pourrait croire.

ARGANTE

Que me viens-tu conter ? Il n'a pas tant de tort de s'aller marier de but en blanc avec une inconnue ?

SCAPIN

Que voulez-vous, il y a été poussé par sa destinée.

ARGANTE

Ah, ah, voici une raison la plus belle du monde. On n'a plus qu'à commettre tous les crimes imaginables, tromper, voler, assassiner, et dire pour excuse qu'on y a été poussé par sa destinée.

---

1. Que vous ne vous emportiez pas.
2. J'ai pris votre parti.

SCAPIN

Mon Dieu, vous prenez mes paroles trop en philosophe [1]. Je veux dire qu'il s'est trouvé fatalement engagé dans cette affaire.

ARGANTE

Et pourquoi s'y engageait-il ?

SCAPIN

Voulez-vous qu'il soit aussi sage que vous ? Les jeunes gens sont jeunes, et n'ont pas toute la prudence qu'il leur faudrait pour ne rien faire que de raisonnable ; témoin [2] notre Léandre, qui, malgré toutes mes leçons, malgré toutes mes remontrances, est allé faire de son côté pis encore que votre fils [3]. Je voudrais bien savoir si vous-même n'avez pas été jeune, et n'avez pas, dans votre temps, fait des fredaines [4] comme les autres. J'ai ouï dire, moi, que vous avez été autrefois un compagnon [5] parmi les femmes, que vous faisiez de votre drôle [6] avec les plus galantes de ce temps-là ; et que vous n'en approchiez point, que vous ne poussassiez à bout [7].

---

1. On peut lire une référence au « petit traité » de La Mothe le Vayer (*Derniers petits traités en forme de lettres*, 1660, p. 72-74) dans lequel l'auteur développe une réflexion sur la responsabilité humaine opposée à l'idée de destin. Selon le philosophe, « chacun est artisan de sa propre fortune », et l'on ne peut justifier une mauvaise action en invoquant la fortune (voir la n. 17 de l'édition Pléiade, *Œuvres complètes, op. cit.*, p. 1480).
2. J'en veux pour preuve.
3. Cette remarque, incidemment glissée par Scapin, permettra à Argante d'informer Géronte de manière allusive du mauvais comportement de Léandre et donnera lieu au jeu de scène, lorsque Géronte accueille son fils Léandre avec froideur (II, 2).
4. Bêtises.
5. Un gaillard, un homme à femmes.
6. Garnement, séducteur.
7. Que vous n'ayez vaincues, séduites.

ARGANTE

Cela est vrai. J'en demeure d'accord ; mais je m'en suis toujours tenu à la galanterie, et je n'ai point été jusqu'à faire ce qu'il a fait.

SCAPIN

Que vouliez-vous qu'il fît ? Il voit une jeune personne qui lui veut du bien (car il tient cela de vous, d'être aimé de toutes les femmes[1]). Il la trouve charmante. Il lui rend des visites ; lui conte des douceurs, soupire galamment, fait le passionné. Elle se rend à sa poursuite. Il pousse sa fortune. Le voilà surpris avec elle par ses parents, qui la force à la main le contraignent de l'épouser.

SILVESTRE[2]

L'habile fourbe que voilà !

SCAPIN

Eussiez-vous voulu qu'il se fût laissé tuer ? Il vaut mieux encore être marié, qu'être mort.

ARGANTE

On ne m'a pas dit que l'affaire se soit ainsi passée.

SCAPIN

Demandez-lui plutôt. Il ne vous dira pas le contraire.

ARGANTE

C'est par force qu'il a été marié ?

SILVESTRE

Oui, Monsieur.

---

1. Cette remarque relève d'une stratégie de la flatterie.
2. L'édition originale ne précise pas que cette réplique est dite à part.

SCAPIN

Voudrais-je vous mentir ?

ARGANTE

Il devait donc aller tout aussitôt protester de violence [1]
chez un notaire.

SCAPIN

C'est ce qu'il n'a pas voulu faire.

ARGANTE

Cela m'aurait donné plus de facilité à rompre ce mariage.

SCAPIN

Rompre ce mariage !

ARGANTE

Oui.

SCAPIN

Vous ne le romprez point.

ARGANTE

Je ne le romprai point ?

SCAPIN

Non.

ARGANTE

Quoi, je n'aurai pas pour moi les droits de père, et la
raison [2] de la violence qu'on a faite à mon fils ?

SCAPIN

C'est une chose dont il ne demeurera pas d'accord.

---

1. Se plaindre de cette agression.
2. Réparation.

ARGANTE

Il n'en demeurera pas d'accord ?

SCAPIN

Non.

ARGANTE

Mon fils ?

SCAPIN

Votre fils. Voulez-vous qu'il confesse qu'il ait été capable de crainte, et que ce soit par force qu'on lui ait fait faire les choses ? Il n'a garde d'aller avouer cela. Ce serait se faire tort, et se montrer indigne d'un père comme vous.

ARGANTE

Je me moque de cela.

SCAPIN

Il faut pour son honneur, et pour le vôtre, qu'il dise dans le monde, que c'est de bon gré qu'il l'a épousée.

ARGANTE

Et je veux, moi, pour mon honneur et pour le sien, qu'il dise le contraire.

SCAPIN

Non, je suis sûr qu'il ne le fera pas.

ARGANTE

Je l'y forcerai bien.

SCAPIN

Il ne le fera pas, vous dis-je [1].

---

1. Ce dialogue est repris dans *Le Malade imaginaire* mais supprimé de l'édition complète de 1682 pour éviter la redondance (voir n. 19 de l'édition Pléiade, *Œuvres complètes*, *op. cit.*, p. 1480).

ARGANTE

Il le fera, ou je le déshériterai.

SCAPIN

Vous ?

ARGANTE

Moi.

SCAPIN

Bon.

ARGANTE

Comment, bon ?

SCAPIN

Vous ne le déshériterez point.

ARGANTE

Je ne le déshériterai point ?

SCAPIN

Non.

ARGANTE

Non ?

SCAPIN

Non.

ARGANTE

Hoy [1]. Voici qui est plaisant. Je ne déshériterai pas mon fils.

SCAPIN

Non, vous dis-je.

—————

1. D'autres versions du texte donnent « Ouais ».

ARGANTE

Qui m'en empêchera ?

SCAPIN

Vous-même.

ARGANTE

Moi ?

SCAPIN

Oui. Vous n'aurez pas ce cœur-là.

ARGANTE

Je l'aurai.

SCAPIN

Vous vous moquez.

ARGANTE

Je ne me moque point.

SCAPIN

La tendresse paternelle fera son office.

ARGANTE

Elle ne fera rien.

SCAPIN

Oui, oui.

ARGANTE

Je vous dis que cela sera.

SCAPIN

Bagatelles.

ARGANTE

Il ne faut point dire bagatelles.

SCAPIN

Mon Dieu, je vous connais, vous êtes bon naturellement.

ARGANTE

Je ne suis point bon, et je suis méchant quand je veux. Finissons ce discours qui m'échauffe la bile [1]. Va-t'en, pendard, va-t'en me chercher mon fripon, tandis que j'irai rejoindre le seigneur Géronte, pour lui conter ma disgrâce [2].

SCAPIN

Monsieur, si je puis vous être utile en quelque chose, vous n'avez qu'à me commander.

ARGANTE

Je vous remercie. Ah ! pourquoi faut-il qu'il soit fils unique ! Et que n'ai-je à cette heure la fille que le Ciel m'a ôtée, pour la faire mon héritière [3] !

Scène 5

SCAPIN, SILVESTRE

SILVESTRE

J'avoue que tu es un grand homme, et voilà l'affaire en bon train ; mais l'argent d'autre part nous presse, pour

---

1. Selon la théorie des humeurs, la bile jaune est l'une des quatre humeurs qui en cas de déséquilibre peut générer de la violence. L'expression imagée « échauffer la bile » renvoie à la colère.
2. Cette dernière phrase s'adresse à Silvestre.
3. Cette réplique prépare le coup de théâtre final. Molière suit en cela les recommandations d'Aristote qui veut que les événements soient « préparés » pour assurer la vraisemblance, malgré l'invraisemblance totale de la révélation.

notre subsistance, et nous avons de tous côtés des gens qui aboient après nous[1].

SCAPIN

Laisse-moi faire, la machine est trouvée. Je cherche seulement dans ma tête un homme qui nous soit affidé[2], pour jouer un personnage dont j'ai besoin. Attends. Tiens-toi un peu. Enfonce ton bonnet en méchant garçon. Campe-toi sur un pied. Mets la main au côté. Fais les yeux furibonds. Marche un peu en roi de théâtre. Voilà qui est bien. Suis-moi. J'ai des secrets[3] pour déguiser ton visage et ta voix.

SILVESTRE

Je te conjure au moins, de ne m'aller point brouiller avec la justice.

SCAPIN

Va, va ; nous partagerons les périls en frères ; et trois ans de galère[4] de plus ou de moins ne sont pas pour arrêter un noble cœur.

FIN DU PREMIER ACTE.

---

1. Silvestre introduit ici (juste à la fin du premier acte qui tradition-nellement doit être consacré à l'exposition de l'intrigue) le second obstacle au double mariage des jeunes amoureux. Cela justifie les « fourberies » du deuxième acte pour extorquer de l'argent aux vieillards.
2. Un complice à qui l'on puisse faire confiance.
3. Des astuces, des artifices.
4. Il peut s'agir ici d'un jeu de mots renvoyant à la fois aux travaux forcés imposés par décision de justice et à la célèbre scène de la galère.

ACTE II

Scène première

GÉRONTE, ARGANTE

GÉRONTE

Oui, sans doute [1], par le temps qu'il fait, nous aurons ici nos gens aujourd'hui ; et un matelot qui vient de Tarente, m'a assuré qu'il avait vu mon homme qui était près de s'embarquer. Mais l'arrivée de ma fille trouvera les choses mal disposées à ce que nous nous proposions ; et ce que vous venez de m'apprendre de votre fils rompt étrangement [2] les mesures que nous avions prises ensemble.

ARGANTE

Ne vous mettez pas en peine ; je vous réponds de [3] renverser tout cet obstacle, et j'y vais travailler de ce pas.

GÉRONTE

Ma foi, Seigneur Argante, voulez-vous que je vous dise ; l'éducation des enfants est une chose à quoi il faut s'attacher fortement.

ARGANTE

Sans doute. À quel propos cela ?

---

1. Sans aucun doute.
2. Indignement.
3. Je vous promets de.

GÉRONTE

À propos, de ce que les mauvais déportements[1] des jeunes gens viennent le plus souvent de la mauvaise éducation que leurs pères leur donnent.

ARGANTE

Cela arrive parfois. Mais que voulez-vous dire par là ?

GÉRONTE

Ce que je veux dire par là ?

ARGANTE

Oui.

GÉRONTE

Que si vous aviez en brave père, bien morigéné[2] votre fils, il ne vous aurait pas joué le tour qu'il vous a fait.

ARGANTE

Fort bien. De sorte donc que vous avez bien mieux morigéné[3] le vôtre ?

GÉRONTE

Sans doute, et je serais bien fâché qu'il m'eût rien fait[4] approchant de cela.

ARGANTE

Et si ce fils que vous avez en brave père si bien morigéné, avait fait pis encore que le mien ; Eh ?

GÉRONTE

Comment ?

_____

1. Écarts de conduite.
2. Éduqué (sans nuance de reproche).
3. Forme concurrente du verbe morigéner.
4. Qu'il eût fait quelque chose.

ARGANTE

Comment ?

GÉRONTE

Qu'est-ce que cela veut dire ?

ARGANTE

Cela veut dire, seigneur Géronte, qu'il ne faut pas être si prompt à condamner la conduite des autres ; et que ceux qui veulent gloser [1] doivent bien regarder chez eux, s'il n'y a rien qui cloche.

GÉRONTE

Je n'entends point cette énigme.

ARGANTE

On vous l'expliquera.

GÉRONTE

Est-ce que vous auriez ouï dire quelque chose de mon fils ?

ARGANTE

Cela se peut faire.

GÉRONTE

Et quoi encore ?

ARGANTE

Votre Scapin, dans mon dépit [2], ne m'a dit la chose qu'en gros ; et vous pourrez de lui, ou de quelque autre, être instruit du détail. Pour moi, je vais vite consulter un avocat, et aviser des biais [3] que j'ai à prendre. Jusqu'au revoir.

---

1. Trouver à redire, critiquer.
2. Devant ma colère.
3. Déterminer les mesures.

Scène 2

LÉANDRE, GÉRONTE

GÉRONTE

Que pourrait-ce être que cette affaire-ci ? Pis encore que le sien ! Pour moi, je ne vois pas ce que l'on peut faire de pis ; et je trouve que se marier sans le consentement de son père, est une action qui passe [1] tout ce qu'on peut s'imaginer. Ah vous voilà.

LÉANDRE, *en courant à lui pour l'embrasser*

Ah ! mon père, que j'ai de joie de vous voir de retour !

GÉRONTE, *refusant de l'embrasser*

Doucement. Parlons un peu d'affaire.

LÉANDRE

Souffrez que je vous embrasse, et que…

GÉRONTE, *le repoussant encore*

Doucement, vous dis-je.

LÉANDRE

Quoi, vous me refusez, mon père, de vous exprimer mon transport par mes embrassements ?

GÉRONTE

Oui, nous avons quelque chose à démêler ensemble.

LÉANDRE

Et quoi ?

GÉRONTE

Tenez-vous, que je vous voie en face.

---

1. Dépasse.

LÉANDRE

Comment ?

GÉRONTE

Regardez-moi entre deux yeux.

LÉANDRE

Hé bien ?

GÉRONTE

Qu'est-ce donc qu'il s'est passé ici ?

LÉANDRE

Ce qui s'est passé ?

GÉRONTE

Oui. Qu'avez-vous fait dans [1] mon absence ?

LÉANDRE

Que voulez-vous, mon père, que j'aie fait ?

GÉRONTE

Ce n'est pas moi qui veux que vous ayez fait, mais qui demande ce que c'est que vous avez fait.

LÉANDRE

Moi, je n'ai fait aucune chose dont vous ayez lieu de vous plaindre.

GÉRONTE

Aucune chose ?

LÉANDRE

Non.

GÉRONTE

Vous êtes bien résolu.

---

1. Pendant.

LÉANDRE

C'est que je suis sûr de mon innocence.

GÉRONTE

Scapin pourtant a dit de vos nouvelles.

LÉANDRE

Scapin !

GÉRONTE

Ah, ah, ce mot vous fait rougir.

LÉANDRE

Il vous a dit quelque chose de moi ?

GÉRONTE

Ce lieu n'est pas tout à fait propre à vider cette affaire, et nous allons l'examiner ailleurs. Qu'on se rende au logis. J'y vais revenir tout à l'heure. Ah, traître, s'il faut que tu me déshonores, je te renonce pour mon fils, et tu peux bien pour jamais te résoudre à fuir de ma présence.

Scène 3

OCTAVE, SCAPIN, LÉANDRE

LÉANDRE

Me trahir de cette manière ! Un coquin, qui doit par cent raisons être le premier à cacher les choses que je lui confie, est le premier à les aller découvrir à mon père. Ah ! je jure le Ciel que cette trahison ne demeurera pas impunie.

OCTAVE

Mon cher Scapin, que ne dois-je point à tes soins ! Que tu es un homme admirable ! Et que le Ciel m'est favorable, de t'envoyer à mon secours !

LÉANDRE

Ah, ah, vous voilà. Je suis ravi de vous trouver, Monsieur le coquin.

SCAPIN

Monsieur, votre serviteur. C'est trop d'honneur que vous me faites.

LÉANDRE, *en mettant l'épée à la main*

Vous faites le méchant plaisant[1]. Ah ! je vous apprendrai...

SCAPIN, *se mettant à genoux*

Monsieur.

OCTAVE, *se mettant entre deux*
pour empêcher Léandre de le frapper

Ah, Léandre.

LÉANDRE

Non, Octave, ne me retenez point, je vous prie.

SCAPIN

Eh ! Monsieur.

OCTAVE, *le retenant*

De grâce.

LÉANDRE, *voulant frapper Scapin*

Laissez-moi contenter mon ressentiment.

OCTAVE

Au nom de l'amitié, Léandre, ne le maltraitez point.

SCAPIN

Monsieur, que vous ai-je fait ?

---

1. L'hypocrite.

LÉANDRE, *voulant le frapper*

Ce que tu m'as fait, traître !

OCTAVE, *le retenant*

Eh doucement.

LÉANDRE

Non, Octave, je veux qu'il me confesse lui-même tout à l'heure [1] la perfidie qu'il m'a faite. Oui, coquin, je sais le trait que tu m'as joué, on vient de me l'apprendre ; et tu ne croyais pas peut-être que l'on me dût révéler ce secret : mais je veux en avoir la confession de ta propre bouche, ou je vais te passer cette épée au travers du corps.

SCAPIN

Ah ! Monsieur, auriez-vous bien ce cœur-là ?

LÉANDRE

Parle donc.

SCAPIN

Je vous ai fait quelque chose, Monsieur ?

LÉANDRE

Oui, coquin ; et ta conscience ne te dit que trop ce que c'est.

SCAPIN

Je vous assure que je l'ignore.

LÉANDRE, *s'avançant pour le frapper*

Tu l'ignores !

OCTAVE, *le retenant*

Léandre.

---

1. Tout de suite.

SCAPIN

Hé bien, Monsieur, puisque vous le voulez, je vous confesse que j'ai bu avec mes amis ce petit quartaut [1] de vin d'Espagne dont on vous fit présent il y a quelques jours ; et que c'est moi qui fis une fente au tonneau, et répandis de l'eau autour, pour faire croire que le vin s'était échappé.

LÉANDRE

C'est toi, pendard, qui m'as bu mon vin d'Espagne, et qui as été cause que j'ai tant querellé la servante, croyant que c'était elle qui m'avait fait le tour ?

SCAPIN

Oui, Monsieur, je vous en demande pardon.

LÉANDRE

Je suis bien aise d'apprendre cela ; mais ce n'est pas l'affaire dont il est question maintenant.

SCAPIN

Ce n'est pas cela, Monsieur ?

LÉANDRE

Non, c'est une autre affaire qui me touche bien plus, et je veux que tu me la dises.

SCAPIN

Monsieur, je ne me souviens pas d'avoir fait autre chose.

LÉANDRE, *le voulant frapper*

Tu ne veux pas parler ?

SCAPIN

Eh.

---

1. Tonneau.

OCTAVE, *le retenant*

Tout doux.

SCAPIN

Oui, Monsieur, il est vrai qu'il y a trois semaines que vous m'envoyâtes porter le soir, une petite montre à la jeune Égyptienne que vous aimez. Je revins au logis mes habits tout couverts de boue, et le visage plein de sang, et vous dis que j'avais trouvé des voleurs qui m'avaient bien battu, et m'avaient dérobé la montre. C'était moi, Monsieur, qui l'avais retenue.

LÉANDRE

C'est toi qui as retenu ma montre ?

SCAPIN

Oui, Monsieur, afin de voir quelle heure il est.

LÉANDRE

Ah, ah, j'apprends ici de jolies choses, et j'ai un serviteur fort fidèle vraiment. Mais ce n'est pas encore cela que je demande.

SCAPIN

Ce n'est pas cela ?

LÉANDRE

Non, infâme, c'est autre chose encore que je veux que tu me confesses.

SCAPIN

Peste !

LÉANDRE

Parle vite, j'ai hâte.

SCAPIN

Monsieur, voilà tout ce que j'ai fait.

LÉANDRE, *voulant frapper Scapin*

Voilà tout ?

OCTAVE, *se mettant au-devant*

Eh.

SCAPIN

Hé bien oui, Monsieur, vous vous souvenez de ce loup-garou [1] il y a six mois, qui vous donna tant de coups de bâton la nuit, et vous pensa [2] faire rompre le cou dans une cave où vous tombâtes en fuyant.

LÉANDRE

Hé bien ?

SCAPIN

C'était moi, Monsieur, qui faisais le loup-garou.

LÉANDRE

C'était toi, traître, qui faisais le loup-garou ?

SCAPIN

Oui, Monsieur, seulement pour vous faire peur, et vous ôter l'envie de nous faire courir toutes les nuits comme vous aviez de coutume.

LÉANDRE

Je saurai me souvenir en temps et lieu de tout ce que je viens d'apprendre. Mais je veux venir au fait, et que tu me confesses ce que tu as dit à mon père.

---

1. Cette scène avait dû marquer profondément le premier public de Molière car Robinet la décrit en détail dans sa critique du spectacle, et Pierre Brissart et Jean Sauvé l'ont gardée en mémoire pour le frontispice de l'édition de 1682 : on y voit Scapin se cacher derrière la cape d'Octave tandis que Léandre, en joue, pointe sur lui son épée. **2.** Faillit.

SCAPIN

À votre père ?

LÉANDRE

Oui, fripon, à mon père.

SCAPIN

Je ne l'ai pas seulement vu depuis son retour.

LÉANDRE

Tu ne l'as pas vu ?

SCAPIN

Non, Monsieur.

LÉANDRE

Assurément.

SCAPIN

Assurément. C'est une chose que je vais vous faire dire par lui-même.

LÉANDRE

C'est de sa bouche que je le tiens pourtant.

SCAPIN

Avec votre permission, il n'a pas dit la vérité.

Scène 4

CARLE, SCAPIN, LÉANDRE, OCTAVE

CARLE

Monsieur, je vous apporte une nouvelle qui est fâcheuse pour votre amour.

LÉANDRE

Comment ?

CARLE

Vos Égyptiens sont sur le point de vous enlever Zerbinette ; et elle-même, les larmes aux yeux, m'a chargé de venir promptement vous dire, que si dans deux heures vous ne songez à leur porter l'argent qu'ils vous ont demandé pour elle, vous l'allez perdre pour jamais.

LÉANDRE

Dans deux heures ?

CARLE

Dans deux heures.

LÉANDRE

Ah, mon pauvre Scapin, j'implore ton secours.

SCAPIN, *passant devant lui avec un air fier*

Ah, mon pauvre Scapin. Je suis mon pauvre Scapin à cette heure qu'on a besoin de moi [1].

LÉANDRE

Va, je te pardonne tout ce que tu viens de me dire, et pis encore, si tu me l'as fait.

SCAPIN

Non, non, ne me pardonnez rien. Passez-moi votre épée au travers du corps. Je serai ravi que vous me tuiez.

---

1. Dans *L'Étourdi*, Mascarille fait le même type de remarque lorsque son maître Léandre le flatte : « Eh ! trêve de douceurs,/ Quand nous faisons besoin, nous autres misérables,/ Nous sommes les chéris et les incomparables ;/ Et dans un autre temps, dès le moindre courroux,/ Nous sommes les coquins qu'il faut rouer de coups » (I, 2).

LÉANDRE

Non. Je te conjure plutôt de me donner la vie, en servant mon amour.

SCAPIN

Point, point, vous ferez mieux de me tuer.

LÉANDRE

Tu m'es trop précieux ; et je te prie de vouloir employer pour moi ce génie admirable, qui vient à bout de toute chose.

SCAPIN

Non, tuez-moi, vous dis-je.

LÉANDRE

Ah, de grâce, ne songe plus à tout cela, et pense à me donner le secours que je te demande.

OCTAVE

Scapin, il faut faire quelque chose pour lui.

SCAPIN

Le moyen, après une avanie de la sorte [1] ?

LÉANDRE

Je te conjure d'oublier mon emportement, et de me prêter ton adresse.

OCTAVE

Je joins mes prières aux siennes.

SCAPIN

J'ai cette insulte-là [2] sur le cœur.

---

1. Après un tel traitement.
2. Cette attaque-là.

OCTAVE

Il faut quitter ton ressentiment.

LÉANDRE

Voudrais-tu m'abandonner, Scapin, dans la cruelle extrémité où se voit mon amour ?

SCAPIN

Me venir faire, à l'improviste, un affront comme celui-là !

LÉANDRE

J'ai tort, je le confesse.

SCAPIN

Me traiter de coquin, de fripon, de pendard, d'infâme !

LÉANDRE

J'en ai tous les regrets du monde.

SCAPIN

Me vouloir passer son épée au travers du corps !

LÉANDRE

Je t'en demande pardon de tout mon cœur ; et s'il ne tient qu'à me jeter à tes genoux, tu m'y vois, Scapin, pour te conjurer encore une fois de ne me point abandonner.

OCTAVE

Ah ma foi, Scapin, il se faut rendre à cela.

SCAPIN

Levez-vous. Une autre fois, ne soyez point si prompt.

LÉANDRE

Me promets-tu de travailler pour moi ?

SCAPIN

On y songera.

LÉANDRE

Mais tu sais que le temps presse.

SCAPIN

Ne vous mettez pas en peine. Combien est-ce qu'il vous faut ?

LÉANDRE

Cinq cents écus.

SCAPIN

Et à vous ?

OCTAVE

Deux cents pistoles [1].

SCAPIN

Je veux tirer cet argent de vos pères. Pour ce qui est du vôtre [2], la machine est déjà toute trouvée : et quant au vôtre, bien qu'avare au dernier degré, il y faudra moins de façons encore ; car vous savez que pour l'esprit, il n'en a pas grâces à Dieu grande provision, et je le livre pour une espèce d'homme à qui l'on fera toujours croire tout ce que l'on voudra. Cela ne vous offense point, il ne tombe entre lui et vous aucun soupçon de ressemblance ; et vous savez assez l'opinion de tout le monde, qui veut qu'il ne soit votre père que pour la forme.

---

1. Il s'agit de sommes importantes. L'écu valant 3 livres, Léandre a besoin de 1 500 livres et Octave de 2 200 livres. On constate que le plus avare des deux vieillards, Géronte, est celui qui reculera le plus opiniâtrement à payer la somme la moins importante.
2. Scapin s'adresse à Octave puis à Léandre.

LÉANDRE
Tout beau, Scapin.

SCAPIN
Bon, bon, on fait bien scrupule de cela, vous moquez-vous ? Mais j'aperçois venir le père d'Octave. Commençons par lui, puisqu'il se présente. Allez-vous-en tous deux. Et vous, avertissez votre Silvestre de venir vite jouer son rôle.

Scène 5

ARGANTE, SCAPIN

SCAPIN [1]
Le voilà qui rumine.

ARGANTE
Avoir si peu de conduite et de considération ! S'aller jeter dans un engagement comme celui-là ! Ah, ah, jeunesse impertinente.

SCAPIN
Monsieur, votre serviteur.

ARGANTE
Bonjour, Scapin.

SCAPIN
Vous rêvez [2] à l'affaire de votre fils.

---

1. Même jeu qu'au début de la scène 4 du premier acte : le texte de l'édition originale ne précise pas le fait qu'Argante se croit seul ni l'aparté de Scapin.
2. Songez.

ARGANTE

Je t'avoue que cela me donne un furieux chagrin.

SCAPIN

Monsieur, la vie est mêlée de traverses [1]. Il est bon de s'y tenir sans cesse préparé ; et j'ai ouï dire il y a longtemps, une parole d'un Ancien [2], que j'ai toujours retenue.

ARGANTE

Quoi ?

SCAPIN

Que pour peu qu'un père de famille ait été absent de chez lui, il doit promener son esprit sur tous les fâcheux accidents que son retour peut rencontrer ; se figurer sa maison brûlée, son argent dérobé, sa femme morte, son fils estropié, sa fille subornée ; et ce qu'il trouve qu'il ne lui est point arrivé, l'imputer à bonne fortune. Pour moi, j'ai pratiqué toujours cette leçon dans ma petite philosophie ; et je ne suis jamais revenu au logis, que je ne me sois tenu prêt à la colère de mes maîtres, aux réprimandes, aux injures, aux coups de pied au cul, aux bastonnades, aux étrivières [3] ; et ce qui a manqué à m'arriver [4], j'en ai rendu grâce à mon bon destin.

ARGANTE

Voilà qui est bien ; mais ce mariage impertinent [5] qui trouble celui que nous voulons faire, est une chose que je ne puis souffrir, et je viens de consulter des avocats pour le faire casser.

---

1. D'obstacles.
2. Ce passage est repris de l'acte II du *Phormion* de Térence (II, 1), Voir C. Bourqui, *Les Sources de Molière, op. cit.*, p. 312.
3. Coups donnés à l'aide de la courroie d'une selle.
4. Pour tout ce qui ne m'est pas arrivé.
5. Sans pertinence.

SCAPIN

Ma foi, Monsieur, si vous m'en croyez, vous tâcherez par quelque autre voie, d'accommoder l'affaire. Vous savez ce que c'est que les procès en ce pays-ci, et vous allez vous enfoncer dans d'étranges épines.

ARGANTE

Tu as raison, je le vois bien. Mais quelle autre voie ?

SCAPIN

Je pense que j'en ai trouvé une. La compassion que m'a donnée tantôt votre chagrin, m'a obligé à chercher dans ma tête quelque moyen pour vous tirer d'inquiétude : car je ne saurais voir d'honnêtes pères chagrinés par leurs enfants que [1] cela ne m'émeuve ; et de tout temps, je me suis senti pour votre personne une inclination particulière.

ARGANTE

Je te suis obligé.

SCAPIN

J'ai donc été trouver le frère de cette fille qui a été épousée. C'est un de ces braves de profession [2], de ces gens qui sont tous coups d'épée ; qui ne parlent que d'échiner [3], et ne font non plus de conscience de tuer un homme, que d'avaler un verre de vin. Je l'ai mis sur ce mariage ; lui ai fait voir quelle facilité offrait la raison de la violence [4], pour le faire casser ; vos prérogatives du

---

1. Sans que.
2. « Brave » est un terme péjoratif selon Furetière pour désigner les spadassins. La description du frère prépare le spectateur au jeu de scène suivant où Silvestre joue le type du soldat fanfaron, issu de la comédie latine, ou du Capitan, hérité de la *commedia dell'arte*.
3. De rompre l'échine.
4. L'argument selon lequel on a exercé une violence sur Octave.

nom de père, et l'appui que vous donneraient auprès de la justice et votre droit, et votre argent, et vos amis. Enfin je l'ai tant tourné de tous les côtés, qu'il a prêté l'oreille aux propositions que je lui ai faites d'ajuster l'affaire pour quelque somme ; et il donnera son consentement à rompre le mariage, pourvu que vous lui donniez de l'argent.

ARGANTE

Et qu'a-t-il demandé ?

SCAPIN

Oh, d'abord, des choses par-dessus les maisons [1].

ARGANTE

Et quoi ?

SCAPIN

Des choses extravagantes.

ARGANTE

Mais encore ?

SCAPIN

Il ne parlait pas moins que de cinq ou six cents pistoles [2].

ARGANTE

Cinq ou six cents fièvres quartaines qui le puissent serrer [3]. Se moque-t-il des gens ?

---

1. Excessives.
2. Les répliques qui suivent sont proches de la traduction que Lemaistre de Sacy a proposée du *Phormion* de Térence en 1647.
3. La fièvre quartaine ou quarte correspond à une fièvre intermittente avec des accès prononcés tous les quatre jours. Comprendre : Que la fièvre l'étouffe !

SCAPIN

C'est ce que je lui ai dit. J'ai rejeté bien loin de pareilles propositions, et je lui ai bien fait entendre que vous n'étiez point une dupe, pour vous demander des cinq ou six cents pistoles. Enfin après plusieurs discours, voici où s'est réduit le résultat de notre conférence [1]. Nous voilà au temps, m'a-t-il dit, que je dois partir pour l'armée. Je suis après à [2] m'équiper ; et le besoin que j'ai de quelque argent me fait consentir malgré moi à ce qu'on me propose. Il me faut un cheval de service, et je n'en saurais avoir un, qui soit tant soit peu raisonnable, à moins de soixante pistoles.

ARGANTE

Hé bien, pour soixante pistoles, je les donne.

SCAPIN

Il faudra le harnais et les pistolets ; et cela ira bien à vingt pistoles encore.

ARGANTE

Vingt pistoles, et soixante, ce serait quatre-vingts.

SCAPIN

Justement.

ARGANTE

C'est beaucoup ; mais soit, je consens à cela.

SCAPIN

Il me faut aussi un cheval pour monter mon valet, qui coûtera bien trente pistoles.

---

1. Discussion.
2. En train de.

ARGANTE

Comment diantre ! Qu'il se promène[1] ; il n'aura rien du tout.

SCAPIN

Monsieur.

ARGANTE

Non, c'est un impertinent.

SCAPIN

Voulez-vous que son valet aille à pied ?

ARGANTE

Qu'il aille comme il lui plaira, et le maître aussi.

SCAPIN

Mon Dieu, Monsieur, ne vous arrêtez point à peu de chose. N'allez point plaider, je vous prie, et donnez tout pour vous sauver des mains de la justice.

ARGANTE

Hé bien soit, je me résous à donner encore ces trente pistoles.

SCAPIN

Il me faut encore, a-t-il dit, un mulet pour porter…

ARGANTE

Oh qu'il aille au diable avec son mulet ; c'en est trop, et nous irons devant les juges.

SCAPIN

De grâce, Monsieur…

ARGANTE

Non, je n'en ferai rien.

---

1. Qu'il aille au diable !

SCAPIN

Monsieur, un petit mulet.

ARGANTE

Je ne lui donnerais pas seulement un âne.

SCAPIN

Considérez…

ARGANTE

Non, j'aime mieux plaider.

SCAPIN

Eh, Monsieur, de quoi parlez-vous là, et à quoi vous résolvez-vous ? Jetez les yeux sur les détours de la justice [1]. Voyez combien d'appels et de degrés de juridiction ; combien de procédures embarrassantes ; combien d'animaux ravissants par les griffes desquels il vous faudra passer, sergents, procureurs, avocats, greffiers, substituts, rapporteurs, juges, et leurs clercs. Il n'y a pas un de tous ces gens-là, qui pour la moindre chose, ne soit capable de donner un soufflet [2] au meilleur droit du monde. Un sergent baillera de faux exploits [3], sur quoi vous serez condamné sans que vous le sachiez. Votre procureur s'entendra avec votre partie, et vous vendra à beaux deniers comptants [4]. Votre avocat gagné de même,

----

1. La satire de la justice est un motif traditionnel de la littérature comique de l'époque. Racine en a fait le thème principal de sa seule comédie, *Les Plaideurs*, créée trois ans plus tôt, en 1668.
2. Donner une claque au sens propre ; faire quelque chose de contraire au droit au sens figuré.
3. Délivrera de fausses assignations. Nous nous appuyons pour tout ce passage sur les notes lexicales de l'édition Pléiade, *Œuvres complètes, op. cit.*, p. 392-393.
4. Contre de l'argent.

ne se trouvera point lorsqu'on plaidera votre cause, ou dira des raisons qui ne feront que battre la campagne [1], et n'iront point au fait. Le greffier délivrera par contumace des sentences et arrêts contre vous. Le clerc du rapporteur soustraira des pièces, ou le rapporteur même ne dira pas ce qu'il a vu. Et quand par les plus grandes précautions du monde vous aurez paré tout cela, vous serez ébahi que vos juges auront été sollicités [2] contre vous ou par des gens dévots, ou par des femmes qu'ils aimeront. Eh, Monsieur, si vous le pouvez, sauvez-vous de cet enfer-là. C'est être damné dès ce monde, que d'avoir à plaider ; et la seule pensée d'un procès serait capable de me faire fuir jusqu'aux Indes.

ARGANTE

À combien est-ce qu'il fait monter le mulet ?

SCAPIN

Monsieur, pour le mulet, pour son cheval, et celui de son homme, pour le harnais et les pistolets, et pour payer quelque petite chose qu'il doit à son hôtesse, il demande en tout deux cents pistoles.

ARGANTE

Deux cents pistoles ?

SCAPIN

Oui.

ARGANTE, *se promenant*
en colère le long du théâtre

Allons, allons, nous plaiderons.

---

1. Qui seront hors sujet.
2. Montés.

SCAPIN

Faites réflexion…

ARGANTE

Je plaiderai.

SCAPIN

Ne vous allez point jeter…

ARGANTE

Je veux plaider.

SCAPIN

Mais pour plaider, il vous faudra de l'argent. Il vous en faudra pour l'exploit [1] ; il vous en faudra pour le contrôle [2]. Il vous en faudra pour la procuration, pour la présentation, conseils, productions, et journées du procureur. Il vous en faudra pour les consultations et plaidoiries des avocats ; pour le droit de retirer le sac [3], et pour les grosses d'écritures [4]. Il vous en faudra pour le rapport des substituts ; pour les épices [5] de conclusion ; pour l'enregistrement du greffier, façon d'appointements [6], sentences et arrêts, contrôles, signatures, et expéditions [7] de leurs clercs, sans parler de tous les présents qu'il vous faudra faire [8]. Donnez cet argent-là à cet homme-ci, vous voilà hors d'affaire.

---

1. L'assignation.
2. L'enregistrement de l'assignation.
3. Les dossiers juridiques sont placés dans des « sacs » ; retirer le sac signifie consulter le dossier.
4. Copies du dossier.
5. Taxes.
6. Jugement préparatoire.
7. Copies légales du jugement.
8. Satire de la corruption de la justice, phénomène avéré dans la société de l'époque.

ARGANTE

Comment, deux cents pistoles ?

SCAPIN

Oui, vous y gagnerez. J'ai fait un petit calcul en moi-
même de tous les frais de la justice ; et j'ai trouvé qu'en
donnant deux cents pistoles à votre homme, vous en
aurez de reste pour le moins cent cinquante[1], sans
compter les soins[2], les pas[3], et les chagrins que vous
épargnerez. Quand il n'y aurait à essuyer que les sottises
que disent devant tout le monde de méchants plaisants
d'avocats, j'aimerais mieux donner trois cents pistoles,
que de plaider.

ARGANTE

Je me moque de cela, et je défie les avocats de rien dire
de moi.

SCAPIN

Vous ferez ce qu'il vous plaira ; mais si j'étais que de
vous, je fuirais les procès.

ARGANTE

Je ne donnerai point deux cents pistoles.

SCAPIN

Voici l'homme dont il s'agit.

---

1. Vous économiserez au moins cinquante.
2. Les inquiétudes.
3. Les démarches.

Scène 6

SILVESTRE, ARGANTE, SCAPIN

SILVESTRE [1]

Scapin, fais-moi connaître un peu cet Argante, qui est
père d'Octave.

SCAPIN

Pourquoi, Monsieur ?

SILVESTRE

Je viens d'apprendre qu'il veut me mettre en procès, et
faire rompre par justice le mariage de ma sœur.

SCAPIN

Je ne sais pas s'il a cette pensée ; mais il ne veut point
consentir aux deux cents pistoles que vous voulez, et il
dit que c'est trop.

SILVESTRE

Par la mort, par la tête, par le ventre, si je le trouve, je
le veux échiner [2], dussé-je être roué tout vif. *(Argante, pour
n'être point vu, se tient, en tremblant, couvert de Scapin.)*

SCAPIN

Monsieur, ce père d'Octave a du cœur [3], et peut-être ne
vous craindra-t-il point.

---

1. Silvestre apparaît déguisé en spadassin (la didascalie de l'édition
de 1682 le précise). Dans la *commedia dell'arte* le spadassin porte de
larges moustaches, un gros panache, un chapeau à large bord, une
longue épée à la ceinture, des bottes avec éperons et s'exprime avec
une voix tonitruante
2. Lui rompre l'échine.
3. Courage.

SILVESTRE

Lui ? lui ? Par le sang, par la tête, s'il était là, je lui donnerais tout à l'heure[1] de l'épée dans le ventre. Qui est cet homme-là ?

SCAPIN

Ce n'est pas lui, Monsieur, ce n'est pas lui.

SILVESTRE

N'est-ce point quelqu'un de ses amis ?

SCAPIN

Non, Monsieur, au contraire, c'est son ennemi capital[2].

SILVESTRE

Son ennemi capital ?

SCAPIN

Oui.

SILVESTRE

Ah, parbleu, j'en suis ravi. Vous êtes ennemi, Monsieur, de ce faquin d'Argante ; eh ?

SCAPIN

Oui, oui, je vous en réponds.

SILVESTRE, *lui prend rudement la main*

Touchez là. Touchez. Je vous donne ma parole, et vous jure sur mon honneur, par l'épée que je porte, par tous les serments que je saurais faire, qu'avant la fin du jour je vous déferai de ce maraud fieffé, de ce faquin d'Argante. Reposez-vous sur moi.

---

1. Tout de suite.
2. Mortel.

SCAPIN

Monsieur, les violences en ce pays-ci ne sont guère souffertes.

SILVESTRE

Je me moque de tout, et je n'ai rien à perdre.

SCAPIN

Il se tiendra sur ses gardes assurément ; et il a des parents, des amis, et des domestiques, dont il se fera un secours contre votre ressentiment.

SILVESTRE

C'est ce que je demande, morbleu ! c'est ce que je demande. *(Il met l'épée à la main et pousse* [1] *de tous les côtés, comme s'il y avait plusieurs personnes devant lui.)* Ah, tête ! ah, ventre ! Que ne le trouvé-je à cette heure avec tout son secours ! Que ne paraît-il à mes yeux au milieu de trente personnes ! Que ne les vois-je fondre sur moi les armes à la main ! Comment, marauds, vous avez la hardiesse de vous attaquer à moi ? Allons, morbleu, tue, point de quartier. Donnons [2]. Ferme. Poussons. Bon pied, bon œil, Ah coquins, ah canaille, vous en voulez par là ; je vous en ferai tâter votre soûl. Soutenez, marauds, soutenez [3]. Allons. À cette botte. À cette autre. À celle-ci. À celle-là. Comment, vous reculez ? Pied ferme, morbleu ! pied ferme.

SCAPIN

Eh, eh, eh, Monsieur, nous n'en sommes pas.

------

1. Donne des coups d'épée.
2. À l'attaque.
3. En garde.

SILVESTRE

Voilà qui vous apprendra à vous oser jouer de moi [1].

SCAPIN

Hé bien, vous voyez combien de personnes tuées pour deux cents pistoles. Oh sus [2], je vous souhaite une bonne fortune [3].

ARGANTE, *tout tremblant*

Scapin.

SCAPIN

Plaît-il ?

ARGANTE

Je me résous à donner les deux cents pistoles.

SCAPIN

J'en suis ravi, pour l'amour de vous.

ARGANTE

Allons le trouver, je les ai sur moi.

SCAPIN

Vous n'avez qu'à me les donner. Il ne faut pas pour votre honneur, que vous paraissiez là, après avoir passé ici pour autre que ce que vous êtes ; et de plus, je craindrais qu'en vous faisant connaître, il n'allât s'aviser de vous demander davantage.

ARGANTE

Oui ; mais j'aurais été bien aise de voir comme je donne mon argent.

---

1. Le texte ne précise pas la sortie du personnage.
2. Allez !
3. Bonne chance.

SCAPIN

Est-ce que vous vous défiez de moi ?

ARGANTE

Non pas, mais…

SCAPIN

Parbleu, Monsieur, je suis un fourbe, ou je suis honnête homme ; c'est l'un des deux. Est-ce que je voudrais vous tromper, et que dans tout ceci j'ai d'autre intérêt que le vôtre, et celui de mon maître, à qui vous voulez vous allier ? Si je vous suis suspect, je ne me mêle plus de rien, et vous n'avez qu'à chercher, dès cette heure, qui accommodera vos affaires.

ARGANTE

Tiens donc.

SCAPIN

Non, Monsieur, ne me confiez point votre argent. Je serai bien aise que vous vous serviez de quelque autre.

ARGANTE

Mon Dieu, tiens.

SCAPIN

Non, vous dis-je, ne vous fiez point à moi. Que sait-on, si je ne veux point vous attraper votre argent ?

ARGANTE

Tiens, te dis-je, ne me fais point contester davantage. Mais songe à bien prendre tes sûretés avec lui.

SCAPIN

Laissez-moi faire, il n'a pas affaire à un sot.

ARGANTE

Je vais t'attendre chez moi [1].

SCAPIN

Je ne manquerai pas d'y aller. Et un. Je n'ai qu'à chercher l'autre. Ah, ma foi, le voici. Il semble que le Ciel, l'un après l'autre, les amène dans mes filets.

Scène 7

GÉRONTE, SCAPIN

SCAPIN [2]

Ô Ciel ! ô disgrâce imprévue ! ô misérable père ! Pauvre Géronte, que feras-tu ?

GÉRONTE

Que dit-il là de moi, avec ce visage affligé ?

SCAPIN

N'y a-t-il personne qui puisse me dire où est le seigneur Géronte ?

GÉRONTE

Qu'y a-t-il, Scapin ?

SCAPIN

Où pourrai-je le rencontrer, pour lui dire cette infortune ?

GÉRONTE

Qu'est-ce que c'est donc ?

---

1. Le texte ne précise pas la sortie d'Argante.
2. Les premières répliques de la scène correspondent à un jeu de scène comique, Scapin feignant de ne pas voir Géronte.

SCAPIN

En vain je cours de tous côtés pour le pouvoir trouver.

GÉRONTE

Me voici.

SCAPIN

Il faut qu'il soit caché en quelque endroit qu'on ne puisse point deviner.

GÉRONTE

Holà, es-tu aveugle, que tu ne me vois pas ?

SCAPIN

Ah, Monsieur, il n'y a pas moyen de vous rencontrer.

GÉRONTE

Il y a une heure que je suis devant toi. Qu'est-ce que c'est donc qu'il y a ?

SCAPIN

Monsieur…

GÉRONTE

Quoi ?

SCAPIN

Monsieur, votre fils…

GÉRONTE

Hé bien mon fils…

SCAPIN

Est tombé dans une disgrâce la plus étrange du monde.

GÉRONTE

Et quelle ?

SCAPIN

Je l'ai trouvé tantôt, tout triste, de je ne sais quoi que vous lui avez dit, où vous m'avez mêlé assez mal à propos ; et, cherchant à divertir [1] cette tristesse, nous nous sommes allés promener sur le port. Là, entre autres plusieurs choses, nous avons arrêté nos yeux sur une galère turque assez bien équipée. Un jeune Turc [2] de bonne mine nous a invités d'y entrer, et nous a présenté la main. Nous y avons passé, il nous a fait mille civilités, nous a donné la collation, où nous avons mangé des fruits les plus excellents qui se puissent voir, et bu du vin que nous avons trouvé le meilleur du monde.

GÉRONTE

Qu'y a-t-il de si affligeant à tout cela ?

SCAPIN

Attendez, Monsieur, nous y voici. Pendant que nous mangions, il a fait mettre la galère en mer, et se voyant éloigné du port, il m'a fait mettre dans un esquif, et m'envoie vous dire, que si vous ne lui envoyez par moi tout à l'heure cinq cents écus, il va vous emmener votre fils en Alger.

GÉRONTE

Comment, diantre, cinq cents écus.

SCAPIN

Oui, Monsieur ; et de plus, il ne m'a donné pour cela que deux heures.

GÉRONTE

Ah le pendard de Turc, m'assassiner de la façon !

---

1. Détourner.
2. Le terme turc est fréquemment utilisé pour désigner la population de l'Afrique du Nord, alors sous domination ottomane.

SCAPIN

C'est à vous, Monsieur, d'aviser promptement aux moyens de sauver des fers un fils que vous aimez avec tant de tendresse.

GÉRONTE

Que diable allait-il faire dans cette galère [1] ?

SCAPIN

Il ne songeait pas à ce qui est arrivé.

GÉRONTE

Va-t'en, Scapin, va-t'en vite dire à ce Turc, que je vais envoyer la justice après lui.

SCAPIN

La justice en pleine mer ! Vous moquez-vous des gens ?

GÉRONTE

Que diable allait-il faire dans cette galère ?

SCAPIN

Une méchante destinée conduit quelquefois les personnes.

GÉRONTE

Il faut, Scapin, il faut que tu fasses ici l'action d'un serviteur fidèle.

SCAPIN

Quoi, Monsieur ?

---

1. Cette célèbre réplique est tirée de la scène 4 de l'acte II du *Pédant joué* de Cyrano de Bergerac, comédie de 1654 dans laquelle le pédant Granger répond au valet qui lui annonce la mésaventure de son fils « Que diable aller faire dans la galère d'un Turc ? ». Molière a cependant considérablement retravaillé la source pour en dégager une force comique majeure grâce au comique de répétition et à l'ajout du jeu de

GÉRONTE

Que tu ailles dire à ce Turc, qu'il me renvoie mon fils, et que tu te mets à sa place jusqu'à ce que j'aie amassé la somme qu'il demande.

SCAPIN

Eh, Monsieur, songez-vous à ce que vous dites ? Et vous figurez-vous que ce Turc ait si peu de sens [1] que d'aller recevoir un misérable comme moi, à la place de votre fils ?

GÉRONTE

Que diable allait-il faire dans cette galère ?

SCAPIN

Il ne devinait pas ce malheur. Songez, Monsieur, qu'il ne m'a donné que deux heures.

GÉRONTE

Tu dis qu'il demande…

SCAPIN

Cinq cents écus.

GÉRONTE

Cinq cents écus ! N'a-t-il point de conscience ?

SCAPIN

Vraiment oui, de la conscience à un Turc [2].

GÉRONTE

Sait-il bien ce que c'est que cinq cents écus ?

---

scène final de la bourse, voir C. Bourqui, *Les Sources de Molière, op. cit.*, p. 314-315.
1. Bon sens.
2. Le ton est ironique. Comprendre : prêter une faculté de conscience à un Turc !

SCAPIN

Oui, Monsieur, il sait que c'est mille cinq cents livres.

GÉRONTE

Croit-il, le traître, que mille cinq cents livres se trouvent
dans le pas d'un cheval ?

SCAPIN

Ce sont des gens qui n'entendent point de raison.

GÉRONTE

Mais que diable allait-il faire à cette galère ?

SCAPIN

Il est vrai ; mais quoi ! on ne prévoyait pas les choses.
De grâce, Monsieur, dépêchez.

GÉRONTE

Tiens, voilà la clef de mon armoire.

SCAPIN

Bon.

GÉRONTE

Tu l'ouvriras.

SCAPIN

Fort bien.

GÉRONTE

Tu trouveras une grosse clef du côté gauche, qui est celle
de mon grenier.

SCAPIN

Oui.

GÉRONTE

Tu iras prendre toutes les hardes[1] qui sont dans cette grande manne[2], et tu les vendras aux fripiers, pour aller racheter mon fils.

SCAPIN, *en lui rendant la clef*

Eh, Monsieur, rêvez-vous ? Je n'aurais pas cent francs de tout ce que vous dites ; et de plus, vous savez le peu de temps qu'on m'a donné.

GÉRONTE

Mais que diable allait-il faire à cette galère ?

SCAPIN

Oh que de paroles perdues ! Laissez là cette galère, et songez que le temps presse, et que vous courez risque de perdre votre fils. Hélas ! mon pauvre maître, peut-être que je ne te verrai de ma vie, et qu'à l'heure que je parle on t'emmène esclave en Alger. Mais le Ciel me sera témoin que j'ai fait pour toi tout ce que j'ai pu ; et que si tu manques à être racheté, il n'en faut accuser que le peu d'amitié[3] d'un père.

GÉRONTE

Attends, Scapin, je m'en vais quérir cette somme.

SCAPIN

Dépêchez donc vite, Monsieur, je tremble que l'heure ne sonne.

GÉRONTE

N'est-ce pas quatre cents écus que tu dis ?

---

1. Vêtements (sans connotation péjorative).
2. Ce grand panier.
3. D'affection.

SCAPIN

Non, cinq cents écus.

GÉRONTE

Cinq cents écus ?

SCAPIN

Oui.

GÉRONTE

Que diable allait-il faire à cette galère ?

SCAPIN

Vous avez raison, mais hâtez-vous.

GÉRONTE

N'y avait-il point d'autre promenade ?

SCAPIN

Cela est vrai. Mais faites promptement.

GÉRONTE

Ah maudite galère !

SCAPIN [1]

Cette galère lui tient au cœur.

GÉRONTE

Tiens, Scapin, je ne me souvenais pas que je viens justement de recevoir cette somme en or, et je ne croyais pas
qu'elle dût m'être si tôt ravie. *(Il lui présente sa bourse,
qu'il ne laisse pourtant pas aller ; et dans ses transports, il
fait aller son bras de côté et d'autre, et Scapin le sien pour
avoir la bourse.)* Tiens. Va-t'en racheter mon fils.

SCAPIN

Oui, Monsieur.

---

1. Le texte ne précise pas l'aparté.

GÉRONTE

Mais dis à ce Turc que c'est un scélérat.

SCAPIN

Oui.

GÉRONTE

Un infâme.

SCAPIN

Oui.

GÉRONTE

Un homme sans foi, un voleur.

SCAPIN

Laissez-moi faire.

GÉRONTE

Qu'il me tire cinq cents écus contre toute sorte de droit.

SCAPIN

Oui.

GÉRONTE

Que je ne les lui donne ni à la mort, ni à la vie.

SCAPIN

Fort bien.

GÉRONTE

Et que si jamais je l'attrape, je saurai me venger de lui.

SCAPIN

Oui.

GÉRONTE, *remet la bourse dans sa poche, et s'en va*
Va, va vite requérir mon fils.

SCAPIN, *allant après lui*

Holà, Monsieur.

GÉRONTE

Quoi ?

SCAPIN

Où est donc cet argent ?

GÉRONTE

Ne te l'ai-je pas donné ?

SCAPIN

Non vraiment, vous l'avez remis dans votre poche.

GÉRONTE

Ah, c'est la douleur qui me trouble l'esprit.

SCAPIN

Je le vois bien.

GÉRONTE

Que diable allait-il faire dans cette galère ? Ah maudite galère ! traître de Turc à tous les diables ![1]

SCAPIN

Il ne peut digérer les cinq cents écus que je lui arrache ; mais il n'est pas quitte envers moi, et je veux qu'il me paye en une autre monnaie l'imposture qu'il m'a faite auprès de son fils.

---

1. Le texte ne précise pas la sortie de Géronte.

Scène 8

OCTAVE, LÉANDRE, SCAPIN

OCTAVE

Hé bien, Scapin, as-tu réussi pour moi dans ton entreprise ?

LÉANDRE

As-tu fait quelque chose pour tirer mon amour de la peine où il est ?

SCAPIN

Voilà deux cents pistoles que j'ai tirées de votre père.

OCTAVE

Ah que tu me donnes de joie !

SCAPIN

Pour vous, je n'ai pu faire rien.

LÉANDRE, *veut s'en aller*

Il faut donc que j'aille mourir ; et je n'ai que faire de vivre si Zerbinette m'est ôtée.

SCAPIN

Holà, holà, tout doucement. Comme diantre vous allez vite !

LÉANDRE, *se retourne*

Que veux-tu que je devienne ?

SCAPIN

Allez, j'ai votre affaire ici.

LÉANDRE, *revient*

Ah tu me redonnes la vie.

SCAPIN

Mais à condition que vous me permettrez à moi, une petite vengeance contre votre père, pour le tour qu'il m'a fait.

LÉANDRE

Tout ce que tu voudras.

SCAPIN

Vous me le promettez devant témoin.

LÉANDRE

Oui.

SCAPIN

Tenez, voilà cinq cents écus.

LÉANDRE

Allons-en promptement acheter celle que j'adore.

FIN DU SECOND ACTE.

ACTE III

Scène première

ZERBINETTE, HYACINTE,
SCAPIN, SILVESTRE

SILVESTRE

Oui, vos amants ont arrêté [1] entre eux que vous fussiez ensemble ; et nous nous acquittons de l'ordre qu'ils nous ont donné.

HYACINTE

Un tel ordre n'a rien qui ne me soit fort agréable. Je reçois avec joie une compagnie de la sorte ; et il ne tiendra pas à moi que l'amitié qui est entre les personnes que nous aimons ne se répande entre nous deux.

ZERBINETTE

J'accepte la proposition, et ne suis point personne à reculer, lorsqu'on m'attaque d'amitié.

SCAPIN

Et lorsque c'est d'amour qu'on vous attaque [2] ?

ZERBINETTE

Pour l'amour, c'est une autre chose ; on y court un peu plus de risque, et je n'y suis pas si hardie.

---

1. Décidé.
2. À la Comédie-Française en 2017, Denis Podalydès propose à partir de cette réplique un jeu de scène de séduction entre Scapin et Zerbinette qui se prolonge sur toute la scène.

SCAPIN

Vous l'êtes, que je crois, contre mon maître maintenant ; et ce qu'il vient de faire pour vous doit vous donner du cœur pour répondre comme il faut à sa passion.

ZERBINETTE

Je ne m'y fie encore que de la bonne sorte ; et ce n'est pas assez pour m'assurer [1] entièrement que ce qu'il vient de faire. J'ai l'humeur enjouée, et sans cesse je ris ; mais tout en riant, je suis sérieuse sur de certains chapitres ; et ton maître s'abusera, s'il croit qu'il lui suffise de m'avoir achetée pour me voir toute à lui. Il doit lui en coûter autre chose que de l'argent ; et pour répondre à son amour de la manière qu'il souhaite, il me faut un don de sa foi qui soit assaisonné de certaines cérémonies qu'on trouve nécessaires [2].

SCAPIN

C'est là aussi comme il l'entend. Il ne prétend à vous qu'en tout bien et en tout honneur ; et je n'aurais pas été homme à me mêler de cette affaire, s'il avait une autre pensée.

ZERBINETTE

C'est ce que je veux croire, puisque vous me le dites ; mais du côté du père, j'y prévois des empêchements.

SCAPIN

Nous trouverons moyen d'accommoder les choses.

HYACINTE

La ressemblance de nos destins, doit contribuer encore à faire naître notre amitié ; et nous nous voyons toutes deux dans les mêmes alarmes, toutes deux exposées à la même infortune.

---

1. Me gagner, me séduire.
2. C'est-à-dire le mariage.

ZERBINETTE

Vous avez cet avantage, au moins, que vous savez de qui vous êtes née ; et que l'appui de vos parents, que vous pouvez faire connaître, est capable d'ajuster tout, peut assurer votre bonheur, et faire donner un consentement au mariage qu'on trouve fait. Mais pour moi, je ne rencontre aucun secours dans ce que je puis être, et l'on me voit dans un état [1] qui n'adoucira pas les volontés d'un père qui ne regarde que le bien [2].

HYACINTE

Mais aussi avez-vous cet avantage, que l'on ne tente point par un autre parti, celui que vous aimez.

ZERBINETTE

Le changement du cœur d'un amant, n'est pas ce qu'on peut le plus craindre. On se peut naturellement croire assez de mérite pour garder sa conquête ; et ce que je vois de plus redoutable dans ces sortes d'affaires, c'est la puissance paternelle [3], auprès de qui tout le mérite ne sert de rien.

HYACINTE

Hélas ! pourquoi faut-il que de justes inclinations se trouvent traversées [4] ? La douce chose que d'aimer, lorsque l'on ne voit point d'obstacle à ces aimables chaînes dont deux cœurs se lient ensemble [5] !

---

1. Une situation financière.
2. La fortune.
3. L'autorité des pères est une réalité juridique de l'époque, voir note 3, p. 66. Molière en a fait un rouage traditionnel de ses comédies, le mariage des amoureux devant fréquemment défier la décision paternelle.
4. Contrariées.
5. Cet échange, par son évocation des questions d'amour et le recours à un lexique amoureux à la mode, inscrit la scène dans la littérature galante, voir Présentation, p. 12-13.

SCAPIN

Vous vous moquez ; la tranquillité en amour est un calme désagréable. Un bonheur tout uni nous devient ennuyeux ; il faut du haut et du bas dans la vie ; et les difficultés qui se mêlent aux choses, réveillent les ardeurs, augmentent les plaisirs.

ZERBINETTE

Mon Dieu, Scapin, fais-nous un peu ce récit, qu'on m'a dit qui est si plaisant, du stratagème dont tu t'es avisé [1] pour tirer de l'argent de ton vieillard avare. Tu sais qu'on ne perd point sa peine, lorsqu'on me fait un conte, et que je le paye assez bien, par la joie qu'on m'y voit prendre.

SCAPIN

Voilà Silvestre qui s'en acquittera aussi bien que moi. J'ai dans la tête certaine petite vengeance dont je vais goûter le plaisir.

SILVESTRE

Pourquoi, de gaieté de cœur, veux-tu chercher à t'attirer de méchantes affaires ?

SCAPIN

Je me plais à tenter des entreprises hasardeuses.

SILVESTRE

Je te l'ai déjà dit, tu quitterais le dessein que tu as, si tu m'en voulais croire.

SCAPIN

Oui, mais c'est moi que j'en croirai.

SILVESTRE

À quoi diable te vas-tu amuser ?

---

1. Que tu as imaginé.

SCAPIN

De quoi diable te mets-tu en peine ?

SILVESTRE

C'est que je vois que sans nécessité tu vas courir risque de t'attirer une venue[1] de coups de bâton.

SCAPIN

Hé bien, c'est aux dépens de mon dos, et non pas du tien.

SILVESTRE

Il est vrai que tu es maître de tes épaules, et tu en disposeras comme il te plaira.

SCAPIN

Ces sortes de périls ne m'ont jamais arrêté, et je hais ces cœurs pusillanimes, qui pour trop prévoir les suites des choses, n'osent rien entreprendre.

ZERBINETTE

Nous aurons besoin de tes soins.

SCAPIN

Allez, je vous irai bientôt rejoindre. Il ne sera pas dit qu'impunément on m'ait mis en état de me trahir moi-même, et de découvrir des secrets qu'il était bon qu'on ne sût pas[2].

---

1. Pluie.
2. C'est la troisième fois que Scapin justifie la vengeance qu'il se prépare à accomplir pour punir ce qu'il considère comme une trahison de Géronte.

Scène 2

GÉRONTE, SCAPIN

GÉRONTE

Hé bien, Scapin, comment va l'affaire de mon fils ?

SCAPIN

Votre fils, Monsieur, est en lieu de sûreté [1] ; mais vous courez maintenant, vous, le péril le plus grand du monde, et je voudrais pour beaucoup, que vous fussiez dans votre logis.

GÉRONTE

Comment donc ?

SCAPIN

À l'heure que je parle, on vous cherche de toutes parts pour vous tuer.

GÉRONTE

Moi ?

SCAPIN

Oui.

GÉRONTE

Et qui ?

SCAPIN

Le frère de cette personne qu'Octave a épousée. Il croit que le dessein que vous avez de mettre votre fille à la place que tient sa sœur, est ce qui pousse le plus fort à faire rompre leur mariage ; et dans cette pensée il a résolu

---

1. Tiré d'affaire.

hautement de décharger son désespoir sur vous, et vous ôter la vie pour venger son honneur. Tous ses amis, gens d'épée comme lui, vous cherchent de tous les côtés et demandent de vos nouvelles. J'ai vu même de çà et de là, des soldats de sa compagnie qui interrogent ceux qu'ils trouvent, et occupent par pelotons toutes les avenues[1] de votre maison. De sorte que vous ne sauriez aller chez vous, vous ne sauriez[2] faire un pas ni à droit[3], ni à gauche, que vous ne tombiez dans leurs mains.

GÉRONTE

Que ferai-je, mon pauvre Scapin ?

SCAPIN

Je ne sais pas, Monsieur, et voici une étrange affaire. Je tremble pour vous depuis les pieds jusqu'à la tête, et… Attendez. *(Il se retourne, et fait semblant d'aller voir au bout du théâtre s'il n'y a personne.)*

GÉRONTE, *en tremblant*

Eh ?

SCAPIN, *en revenant*

Non, non, non, ce n'est rien.

GÉRONTE

Ne saurais-tu trouver quelque moyen pour me tirer de peine ?

SCAPIN

J'en imagine bien un ; mais je courrais risque moi, de me faire assommer.

---

1. Tous les accès.
2. Vous ne pourriez.
3. Droite.

GÉRONTE

Eh, Scapin, montre-toi serviteur zélé : ne m'abandonne pas, je te prie.

SCAPIN

Je le veux bien. J'ai une tendresse pour vous, qui ne saurait souffrir que je vous laisse sans secours.

GÉRONTE

Tu en seras récompensé, je t'assure ; et je te promets cet habit-ci, quand je l'aurai un peu usé [1].

SCAPIN

Attendez. Voici une affaire [2] que je me suis trouvée fort à propos pour vous sauver. Il faut que vous vous mettiez dans ce sac [3], et que...

GÉRONTE, *croyant voir quelqu'un*

Ah !

SCAPIN

Non, non, non, non, ce n'est personne. Il faut, dis-je, que vous vous mettiez là-dedans, et que vous gardiez [4] de remuer en aucune façon. Je vous chargerai sur mon dos, comme un paquet de quelque chose, et je vous porterai ainsi au travers de vos ennemis, jusque dans votre maison, où quand nous serons une fois, nous pourrons nous barricader, et envoyer quérir main-forte contre la violence.

---

1. L'avarice de Géronte se manifeste encore ici de manière comique.
2. Astuce.
3. Le sac est sans doute l'accessoire le plus célèbre de cette comédie, tant à cause du jeu de scène virtuose qu'il occasionne qu'à cause du commentaire de Boileau sur ce « sac ridicule » (voir Dossier, p. 164).
4. Évitez.

GÉRONTE

L'invention est bonne.

SCAPIN

La meilleure du monde. Vous allez voir. *(À part.)* Tu me
paieras l'imposture.

GÉRONTE

Eh [1] ?

SCAPIN

Je dis que vos ennemis seront bien attrapés. Mettez-vous
bien jusqu'au fond, et surtout prenez garde de ne vous
point montrer, et de ne branler [2] pas, quelque chose qui
puisse arriver.

GÉRONTE

Laisse-moi faire. Je saurai me tenir…

SCAPIN [3]

Cachez-vous. Voici un spadassin qui vous cherche. *(En
contrefaisant sa voix.)* « Quoi, je n'aurai pas l'abantage [4] dé

---

1. Il est rare qu'on relève l'aparté, qui fait partie des conventions
théâtrales, et par conséquent ne doit pas être souligné par les autres
personnages. Ici, l'interjection renforce le comique de la situation.
2. Bouger.
3. Afin de faciliter la lecture de cette scène, nous ajoutons les guillemets qui n'apparaissent pas dans l'édition originale.
4. L'inversion des *v* et des *b* et l'usage du « yé » ou du « jé » pour
« je » est un code traditionnel pour transcrire à l'écrit l'accent gascon.
Selon Bénédicte Louvat, il s'agit de la langue des Gascons de théâtre
« langue qui n'en est pas une véritable, mais qui est faite d'un saupou-
drage de marqueurs lexicaux (essentiellement le juron « cadédis » et
sa variante « cadédiou ») et surtout phonétiques (b pour v, v, pour b,
yé pour je, etc). » Voir B. Louvat « Les langues de France dans la
comédie parisienne », *Littératures classiques*, n° 87, 2015, p. 85.

tuer cé Geronte [1], et quelqu'un par charité né m'ensei-
gnera pas où il est ? » *(À Géronte de sa voix ordinaire.)* Ne
branlez pas. *(Reprenant son ton contrefait.)* « Cadédis [2], jé lé
trouberai, sé cachât-il au centre dé la terre. » *(À Géronte
avec son ton naturel.)* Ne vous montrez pas. *(Tout le langage
gascon est supposé de celui qu'il contrefait, et le reste de lui.)*
« Oh, l'homme au sac ! » Monsieur. « Jé té vaille [3] un
louis, et m'enseigne où put être Geronte. » Vous cherchez
le seigneur Géronte ? « Oui, mordi ! jé lé cherche. » Et
pour quelle affaire, Monsieur ? « Pour quelle affaire ? »
Oui. « Jé beux, cadédis, lé faire mourir sous les coups de
vaton. » Oh, Monsieur, les coups de bâton ne se donnent
point à des gens comme lui, et ce n'est pas un homme à
être traité de la sorte. « Qui, cé fat [4] dé Geronte, cé
maraut, cé velître [5] ? » Le seigneur Géronte, Monsieur,
n'est ni fat, ni maraud, ni bélître, et vous devriez, s'il
vous plaît, parler d'autre façon. « Comment, tu mé
traites, à moi, avec cette hautur ? » Je défends, comme je
dois, un homme d'honneur qu'on offense. « Est-ce que
tu es des amis dé cé Geronte ? » Oui, Monsieur, j'en suis.
« Ah, cadédis, tu es de ses amis, à la vonne hure. » *(Il
donne plusieurs coups de bâton sur le sac.)* « Tiens. Boilà cé
que jé té vaille pour lui. » Ah, ah, ah, ah, Monsieur. Ah,
ah, Monsieur, tout beau. Ah, doucement, ah, ah, ah
« Va, porte-lui cela de ma part. Adiusias. » Ah ! diable
soit le Gascon. Ah ! *(En se plaignant et remuant le dos, comme
s'il avait reçu les coups de bâton.)*

---

1. Le texte distingue deux graphies, Géronte et Geronte, permettant
de marquer l'accent gascon.
2. Tête de Dieu (juron gascon).
3. Baille, c'est-à-dire donne.
4. Sot.
5. Bélître, c'est-à-dire gueux.

GÉRONTE, *mettant la tête hors du sac*

Ah, Scapin, je n'en puis plus.

SCAPIN

Ah, Monsieur, je suis tout moulu, et les épaules me font un mal épouvantable.

GÉRONTE

Comment, c'est sur les miennes qu'il a frappé.

SCAPIN

Nenni, Monsieur, c'était sur mon dos qu'il frappait.

GÉRONTE

Que veux-tu dire ? J'ai bien senti les coups, et les sens bien encore.

SCAPIN

Non, vous dis-je, ce n'est que le bout du bâton qui a été jusque sur vos épaules.

GÉRONTE

Tu devais donc te retirer un peu plus loin, pour m'épargner…

SCAPIN, *lui remet la tête dans le sac*

Prenez garde. En voici un autre qui a la mine d'un étranger. *(Cet endroit[1] est de même celui du Gascon, pour le changement de langage, et le jeu de théâtre.)* « Parti ! moi courir comme une Basque[2], et moi ne pouvre point troufair de tout le jour sti tiable de Gironte ? » Cachez-vous bien.

---

1. On parle des « endroits » pour désigner une séquence du spectacle, des vers particulièrement beaux ou comiques, ou encore des jeux de scène.
2. Courir vite et longtemps « parce que ceux de Biscaye sont en réputation pour cela » (Furetière).

« Dites-moi un peu, fous, Monsir l'homme, s'il ve plaist, fous savoir point où l'est sti Gironte que moi cherchair ? » Non, Monsieur, je ne sais point où est Géronte. « Dites-moi-le, fous, frenchemente, moi li fouloir pas grande chose à lui. L'est seulemente pour li donnair un petite régal sur le dos d'un douzaine de coups de bastonne, et de trois ou quatre petites coups d'épée au trafers de son poitrine. » Je vous assure, Monsieur, que je ne sais pas où il est. « Il me semble que j'y fois remuair quelque chose dans sti sac. » Pardonnez-moi, Monsieur. « Li est assurémente quelque histoire là-tetans. » Point du tout, Monsieur. « Moi l'avoir enfie de tonner ain coup d'épée dans ste sac. » Ah ! Monsieur, gardez-vous-en bien. « Montre-le-moi un peu, fous, ce que c'estre là. » Tout beau, Monsieur. « Quement, tout beau ? » Vous n'avez que faire de vouloir voir ce que je porte. « Et moi, je le fouloir foir, moi. » Vous ne le verrez point. « Ahi que de badinemente[1] ! » Ce sont hardes qui m'appartiennent. « Montre-moi, fous, te dis-je. » Je n'en ferai rien. « Toi ne faire rien ? » Non. « Moi pailler de ste bastonne dessus les épaules de toi. » Je me moque de cela « Ah toi faire le trole. » Ahi, ahi, ahi ; ah, Monsieur, ah, ah, ah, ah. « Jusqu'au refoir : l'estre là un petit leçon pour li apprendre à toi à parlair insolentemente » Ah ! peste soit du baragouineux ! Ah !

GÉRONTE, *sortant sa tête du sac*

Ah ! je suis roué.

SCAPIN

Ah ! je suis mort.

---

1. Badinerie.

GÉRONTE

Pourquoi diantre faut-il qu'ils frappent sur mon dos ?

SCAPIN, *lui remettant sa tête dans le sac*

Prenez garde, voici une demi-douzaine de soldats tout ensemble. *(Il contrefait plusieurs personnes ensemble.)* « Allons, tâchons à trouver ce Géronte, cherchons partout. N'épargnons point nos pas. Courons toute la ville. N'oublions aucun lieu. Visitons tout. Furetons de tous les côtés. Par où irons-nous ? Tournons par là. Non, par ici. À gauche. À droit. Nenni. Si fait. » Cachez-vous bien. « Ah, camarades, voici son valet. Allons, coquin, il faut que tu nous enseignes où est ton maître. » Eh, Messieurs, ne me maltraitez point. « Allons, dis-nous où il est ? Parle. Hâte-toi. Expédions. Dépêche vite. Tôt. » Eh, Messieurs, doucement. *(Géronte met doucement la tête hors du sac et aperçoit la fourberie de Scapin.)* « Si tu ne nous fais trouver ton maître tout à l'heure, nous allons faire pleuvoir sur toi une ondée de coups de bâton. » J'aime mieux souffrir toute chose que de vous découvrir mon maître. « Nous allons t'assommer. » Faites tout ce qu'il vous plaira. « Tu as envie d'être battu. » Je ne trahirai point mon maître. « Ah ! tu en veux tâter ? Voilà… » Oh ! *(Comme il est prêt de frapper, Géronte sort du sac, et Scapin s'enfuit.)*

GÉRONTE

Ah infâme ! ah traître ! ah scélérat ! C'est ainsi que tu m'assassines.

Scène 3

ZERBINETTE, GÉRONTE

ZERBINETTE
Ah, ah, je veux prendre un peu l'air.

GÉRONTE
Tu me le paieras, je te jure.

ZERBINETTE
Ah ! ah, ah, ah ; la plaisante histoire, et la bonne dupe que ce vieillard !

GÉRONTE
Il n'y a rien de plaisant à cela, et vous n'avez que faire[1] d'en rire.

ZERBINETTE
Quoi ? Que voulez-vous dire, Monsieur ?

GÉRONTE
Je veux dire que vous ne devez pas vous moquer de moi.

ZERBINETTE
De vous ?

GÉRONTE
Oui.

ZERBINETTE
Comment ? qui songe à se moquer de vous ?

GÉRONTE
Pourquoi venez-vous ici me rire au nez ?

---

1. Vous n'avez aucune raison.

ZERBINETTE

Cela ne vous regarde point, et je ris toute seule d'un conte[1] qu'on vient de me faire, le plus plaisant qu'on puisse entendre. Je ne sais pas si c'est parce que je suis intéressée dans la chose[2] ; mais je n'ai jamais trouvé rien de si drôle qu'un tour qui vient d'être joué par un fils à son père, pour en attraper de l'argent.

GÉRONTE

Par un fils à son père, pour en attraper de l'argent ?

ZERBINETTE

Oui. Pour peu que vous me pressiez, vous me trouverez assez disposée à vous dire l'affaire, et j'ai une démangeaison naturelle à faire part des contes que je sais.

GÉRONTE

Je vous prie de me dire cette histoire.

ZERBINETTE

Je le veux bien. Je ne risquerai pas grand-chose à vous la dire, et c'est une aventure qui n'est pas pour être longtemps secrète. La destinée a voulu que je me trouvasse parmi une bande de ces personnes, qu'on appelle Égyptiens, et qui rôdant de province en province, se mêlent[3] de dire la bonne fortune, et quelquefois de beaucoup d'autres choses[4]. En arrivant dans cette ville, un jeune homme me

---

1. Anecdote, conte à rire.
2. La chose me concerne.
3. S'occupent.
4. Cette description ressemble à la définition que Furetière donne du terme bohémien : « se dit de certains gueux errants, vagabonds et libertins qui vivent de larcins, d'adresse, et de filouteries, qui sur tout font profession de dire la bonne aventure au peuple crédule et superstitieux ».

vit, et conçut pour moi de l'amour. Dès ce moment il s'attache à mes pas, et le voilà d'abord, comme tous les jeunes gens, qui croient qu'il n'y a qu'à parler, et qu'au moindre mot qu'ils nous disent, leurs affaires sont faites : mais il trouva une fierté[1] qui lui fit un peu corriger ses premières pensées. Il fit connaître sa passion aux gens qui me tenaient, et il les trouva disposés à me laisser à lui, moyennant quelque somme. Mais le mal de l'affaire était que mon amant se trouvait dans l'état où l'on voit très souvent la plupart des fils de famille, c'est-à-dire qu'il était un peu dénué d'argent ; et il a un père qui, quoique riche, est un avaricieux fieffé, le plus vilain homme du monde. Attendez. Ne me saurais-je souvenir de son nom ? Haye. Aidez-moi un peu. Ne pouvez-vous me nommer quelqu'un de cette ville qui soit connu pour être avare au dernier point ?

GÉRONTE

Non.

ZERBINETTE

Il y a à son nom du ron... ronte. Or... Oronte. Non. Gé... Géronte ; oui, Géronte, justement ; voilà mon vilain, je l'ai trouvé, c'est ce ladre-là[2] que je dis. Pour venir à notre conte, nos gens[3] ont voulu aujourd'hui partir de cette ville ; et mon amant m'allait perdre faute d'argent, si pour en tirer de son père, il n'avait trouvé du secours dans l'industrie[4] d'un serviteur qu'il a. Pour le nom du serviteur, je le sais à merveille. Il s'appelle Scapin ; c'est un homme incomparable, et il mérite toutes les louanges qu'on peut donner.

---

1. Résistance.
2. Cet avare-là.
3. Les Égyptiens.
4. L'ingéniosité.

GÉRONTE

Ah coquin, que tu es !

ZERBINETTE

Voici le stratagème dont il s'est servi pour attraper sa dupe, ah, ah, ah, ah. Je ne saurais m'en souvenir, que je ne rie de tout mon cœur. Ah, ah, ah, Il est allé trouver ce chien d'avare, ah, ah, ah ; et lui a dit, qu'en se promenant sur le port avec son fils, hi, hi, ils avaient vu une galère turque où on les avait invités d'entrer. Qu'un jeune Turc leur y avait donné la collation. Ah. Que tandis qu'ils mangeaient, on avait mis la galère en mer ; et que le Turc l'avait renvoyé lui seul à terre dans un esquif, avec ordre de dire au père de son maître, qu'il emmenait son fils en Alger, s'il ne lui envoyait tout à l'heure cinq cents écus, ah, ah, ah. Voilà mon ladre, mon vilain, dans de furieuses angoisses ; et la tendresse qu'il a pour son fils fait un combat étrange avec son avarice. Cinq cents écus qu'on lui demande sont justement cinq cents coups de poignard qu'on lui donne. Ah, ah, ah. Il ne peut se résoudre à tirer cette somme de ses entrailles ; et la peine qu'il souffre lui fait trouver cent moyens ridicules pour ravoir son fils, ah, ah, ah. Il veut envoyer la justice en mer après la galère du Turc, ah, ah, ah. Il sollicite son valet de s'aller offrir à tenir la place de son fils, jusqu'à ce qu'il ait amassé l'argent qu'il n'a pas envie de donner, ah, ah, ah. Il abandonne, pour faire les cinq cents écus, quatre ou cinq vieux habits, qui n'en valent pas trente, ah, ah, ah. Le valet lui fait comprendre à tous coups [1], l'impertinence [2] de ses propositions, et chaque réflexion est douloureusement accompagnée d'un, Mais que diable allait-il faire à cette galère ?

1. À chaque fois.
2. La bêtise, le caractère inapproprié.

Ah maudite galère ! Traître de Turc ! Enfin, après plusieurs détours, après avoir longtemps gémi et soupiré… Mais il me semble que vous ne riez point de mon conte. Qu'en dites-vous ?

GÉRONTE

Je dis que le jeune homme est un pendard, un insolent, qui sera puni par son père, du tour qu'il lui a fait. Que l'Égyptienne est une malavisée, une impertinente, de dire des injures à un homme d'honneur qui saura lui apprendre à venir ici débaucher les enfants de famille ; et que le valet est un scélérat, qui sera par Géronte envoyé au gibet avant qu'il soit demain.

Scène 4

SILVESTRE, ZERBINETTE

SILVESTRE

Où est-ce donc que vous vous échappez ? Savez-vous bien que vous venez de parler là au père de votre amant ?

ZERBINETTE

Je viens de m'en douter, et je me suis adressée à lui-même sans y penser, pour lui conter son histoire.

SILVESTRE

Comment, son histoire ?

ZERBINETTE

Oui, j'étais toute remplie du conte, et je brûlais de le redire. Mais qu'importe ? Tant pis pour lui. Je ne vois pas que les choses pour nous en puissent être ni pis ni mieux.

SILVESTRE
Vous aviez grande envie de babiller ; et c'est avoir bien de la langue, que de ne pouvoir se taire de ses propres affaires.

ZERBINETTE [1]
N'aurait-il pas appris cela de quelque autre ?

Scène 5

ARGANTE, SILVESTRE

ARGANTE
Holà, Silvestre.

SILVESTRE
Rentrez dans la maison. Voilà mon maître qui m'appelle.

ARGANTE
Vous vous êtes donc accordés, coquin ; vous vous êtes accordés, Scapin, vous, et mon fils, pour me fourber et vous croyez que je l'endure [2] ?

SILVESTRE
Ma foi, Monsieur, si Scapin vous fourbe, je m'en lave les mains, et vous assure que je n'y trempe en aucune façon.

ARGANTE
Nous verrons cette affaire, pendard, nous verrons cette affaire, et je ne prétends pas qu'on me fasse passer la plume par le bec [3].

---

1. Le texte ne précise pas la sortie de Zerbinette.
2. Subjonctif (que je puisse l'endurer). On ignore comment Argante a appris la supercherie.
3. Je refuse que l'on se moque de moi.

Scène 6

GÉRONTE, ARGANTE, SILVESTRE

GÉRONTE

Ah, seigneur Argante, vous me voyez accablé de disgrâce.

ARGANTE

Vous me voyez aussi dans un accablement horrible.

GÉRONTE

Le pendard de Scapin, par une fourberie, m'a attrapé cinq cents écus.

ARGANTE

Le même pendard de Scapin, par une fourberie aussi, m'a attrapé deux cents pistoles.

GÉRONTE

Il ne s'est pas contenté de m'attraper cinq cents écus : il m'a traité d'une manière que j'ai honte de dire. Mais il me la paiera.

ARGANTE

Je veux qu'il me fasse raison de la pièce qu'il m'a jouée [1].

GÉRONTE

Et je prétends faire de lui une vengeance exemplaire.

SILVESTRE [2]

Plaise au Ciel que dans tout ceci je n'aie point ma part !

---

1. Le terme peut s'entendre doublement : « jouer une pièce » signifie « faire un affront » (dictionnaire de l'Académie) mais l'expression peut aussi souligner la dimension métathéâtrale de la pièce (voir Présentation, p. 25).
2. Le texte ne précise pas l'aparté.

GÉRONTE

Mais ce n'est pas encore tout, seigneur Argante, et un malheur nous est toujours l'avant-coureur d'un autre. Je me réjouissais aujourd'hui de l'espérance d'avoir ma fille, dont je faisais toute ma consolation ; et je viens d'apprendre de mon homme qu'elle est partie il y a long-temps de Tarente, et qu'on y croit qu'elle a péri dans le vaisseau où elle s'embarqua.

ARGANTE

Mais pourquoi, s'il vous plaît, la tenir à Tarente, et ne vous être pas donné la joie de l'avoir avec vous ?

GÉRONTE

J'ai eu mes raisons pour cela ; et des intérêts de famille m'ont obligé jusques ici à tenir fort secret ce second mariage. Mais que vois-je ?

Scène 7

NÉRINE, ARGANTE, GÉRONTE, SILVESTRE

GÉRONTE

Ah te voilà, Nourrice.

NÉRINE, *se jetant à ses genoux*
Ah, seigneur Pandolphe [1], que…

---

1. Molière ne développe pas davantage les raisons de ce mariage secret ni de ce changement d'identité. Il lui suffit de suggérer ce déguisement pour justifier le *quiproquo*.

GÉRONTE

Appelle-moi Géronte, et ne te sers plus de ce nom. Les raisons ont cessé, qui m'avaient obligé à le prendre parmi vous à Tarente.

NÉRINE

Las ! que ce changement de nom nous a causé de troubles et d'inquiétudes dans les soins que nous avons pris de vous venir chercher ici !

GÉRONTE

Où est ma fille, et sa mère ?

NÉRINE

Votre fille, Monsieur, n'est pas loin d'ici. Mais avant que de vous la faire voir, il faut que je vous demande pardon de l'avoir mariée, dans l'abandonnement, où faute de vous rencontrer, je me suis trouvée avec elle.

GÉRONTE

Ma fille mariée !

NÉRINE

Oui, Monsieur.

GÉRONTE

Et avec qui ?

NÉRINE

Avec un jeune homme nommé Octave, fils d'un certain seigneur Argante.

GÉRONTE

Ô Ciel !

ARGANTE

Quelle rencontre [1] !

GÉRONTE

Mène-nous, mène-nous promptement où elle est.

NÉRINE

Vous n'avez qu'à entrer dans ce logis.

GÉRONTE

Passe devant. Suivez-moi, suivez-moi, seigneur Argante.

SILVESTRE

Voilà une aventure qui est tout à fait surprenante [2].

Scène 8

SCAPIN, SILVESTRE

SCAPIN

Hé bien, Silvestre, que font nos gens ?

SILVESTRE

J'ai deux avis à te donner. L'un, que l'affaire d'Octave est accommodée. Notre Hyacinte s'est trouvée la fille du seigneur Géronte ; et le hasard a fait ce que la prudence [3] des pères avait délibéré. L'autre avis, c'est que les deux vieillards font contre toi des menaces épouvantables, et surtout le seigneur Géronte.

---

1. Coïncidence.
2. Comme un relais du spectateur, Silvestre commente ici en aparté le caractère invraisemblable de ce dénouement, peut-être avec une certaine connivence.
3. Sagesse.

SCAPIN

Cela n'est rien. Les menaces ne m'ont jamais fait mal ; et ce sont des nuées qui passent bien loin sur nos têtes.

SILVESTRE

Prends garde à toi, les fils se pourraient bien raccommoder avec les pères, et toi demeurer dans la nasse.

SCAPIN

Laisse-moi faire, je trouverai moyen d'apaiser leur courroux, et…

SILVESTRE

Retire-toi, les voilà qui sortent.

Scène 9

GÉRONTE, ARGANTE, SILVESTRE, NÉRINE, HYACINTE

GÉRONTE

Allons, ma fille, venez chez moi. Ma joie aurait été parfaite, si j'y avais pu voir votre mère avec vous.

ARGANTE

Voici Octave, tout à propos.

Scène 10

OCTAVE, ARGANTE, GÉRONTE, HYACINTE,
NÉRINE, ZERBINETTE, SILVESTRE

ARGANTE

Venez, mon fils, venez vous réjouir avec nous de l'heureuse aventure de votre mariage. Le Ciel…

OCTAVE, *sans voir Hyacinte*

Non, mon père, toutes vos propositions de mariage ne serviront de rien. Je dois lever le masque avec vous, et l'on vous a dit mon engagement.

ARGANTE

Oui ; mais tu ne sais pas…

OCTAVE

Je sais tout ce qu'il faut savoir.

ARGANTE

Je veux te dire que la fille du seigneur Géronte…

OCTAVE

La fille du seigneur Géronte ne me sera jamais de rien.

GÉRONTE

C'est elle…

OCTAVE

Non, Monsieur, je vous demande pardon, mes résolutions sont prises.

SILVESTRE

Écoutez…

OCTAVE

Non, tais-toi, je n'écoute rien.

ARGANTE

Ta femme…

OCTAVE

Non, vous dis-je, mon père, je mourrai plutôt que de quitter mon aimable Hyacinte. *(Traversant le théâtre pour aller à elle.)* Oui, vous avez beau faire, la voilà celle à qui ma foi est engagée ; je l'aimerai toute ma vie et je ne veux point d'autre femme.

ARGANTE

Hé bien, c'est elle qu'on te donne. Quel diable d'étourdi, qui suit toujours sa pointe [1].

HYACINTE

Oui, Octave, voilà mon père que j'ai trouvé, et nous nous voyons hors de peine.

GÉRONTE

Allons chez moi, nous serons mieux qu'ici pour nous entretenir.

HYACINTE

Ah, mon père, je vous demande par grâce que je ne sois point séparée de l'aimable personne que vous voyez : elle a un mérite qui vous fera concevoir de l'estime pour elle, quand il sera connu de vous.

GÉRONTE

Tu veux que je tienne chez moi une personne qui est aimée de ton frère, et qui m'a dit tantôt au nez mille sottises de moi-même ?

---

1. Qui s'entête, qui n'écoute rien.

ZERBINETTE

Monsieur, je vous prie de m'excuser. Je n'aurais pas parlé de la sorte, si j'avais su que c'était vous, et je ne vous connaissais que de réputation.

GÉRONTE

Comment, que de réputation ?

HYACINTE

Mon père, la passion que mon frère a pour elle n'a rien de criminel, et je réponds de sa vertu.

GÉRONTE

Voilà qui est fort bien. Ne voudrait-on point que je mariasse mon fils avec elle ? Une fille inconnue, qui fait le métier de coureuse [1].

Scène 11

LÉANDRE, OCTAVE, HYACINTE, ZERBINETTE, ARGANTE, GÉRONTE, SILVESTRE, NÉRINE

LÉANDRE

Mon père, ne vous plaignez point que j'aime une inconnue, sans naissance et sans bien. Ceux de qui je l'ai rachetée, viennent de me découvrir qu'elle est de cette ville, et d'honnête famille ; que ce sont eux qui l'y ont dérobée à l'âge de quatre ans ; et voici un bracelet qu'ils m'ont donné, qui pourra nous aider à trouver ses parents.

---

1. Prostituée.

ARGANTE

Hélas [1] ! à voir ce bracelet, c'est ma fille que je perdis à l'âge que vous dites [2].

GÉRONTE

Votre fille ?

ARGANTE

Oui, ce l'est, et j'y vois tous les traits qui m'en peuvent rendre assuré.

HYACINTE

Ô Ciel ! que d'aventures extraordinaires !

Scène 12

CARLE, LÉANDRE, OCTAVE, GÉRONTE, ARGANTE,
HYACINTE, ZERBINETTE, SILVESTRE, NÉRINE

CARLE

Ah, Messieurs, il vient d'arriver un accident étrange [3].

GÉRONTE

Quoi ?

CARLE

Le pauvre Scapin…

GÉRONTE

C'est un coquin que je veux faire pendre.

---

1. Interjection qui souligne ici non la tristesse mais l'attendrissement.
2. Pour ce dénouement en forme de coup de théâtre, Molière s'est inspiré de la traduction du *Phormion* de Térence, librement adapté par Lemaistre de Sacy.
3. Extraordinaire.

CARLE

Hélas ! Monsieur, vous ne serez pas en peine de cela. En passant contre un bâtiment, il lui est tombé sur la tête un marteau de tailleur de pierre [1], qui lui a brisé l'os et découvert toute la cervelle. Il se meurt, et il a prié qu'on l'apportât ici pour vous pouvoir parler avant que de mourir.

ARGANTE

Où est-il ?

CARLE

Le voilà.

Scène dernière

SCAPIN, CARLE, GÉRONTE, ARGANTE, ETC.

SCAPIN, *apporté par deux hommes, et la tête entourée de linges, comme s'il avait été bien blessé*

Ahi, ahi, Messieurs, vous me voyez… ahi, vous me voyez dans un étrange état. Ahi. Je n'ai pas voulu mourir, sans venir demander pardon à toutes les personnes que je puis avoir offensées. Ahi. Oui, Messieurs, avant que de rendre le dernier soupir, je vous conjure de tout mon cœur, de vouloir me pardonner tout ce que je puis vous avoir fait, et principalement le seigneur Argante, et le seigneur Géronte. Ahi.

ARGANTE

Pour moi, je te pardonne ; va, meurs en repos.

---

1. Il s'agit peut-être d'une allusion à la mort de Cyrano de Bergerac, décédé dans des circonstances similaires en 1655.

SCAPIN

C'est vous, Monsieur, que j'ai le plus offensé, par les coups de bâton que...

GÉRONTE

Ne parle point davantage, je te pardonne aussi.

SCAPIN

Ç'a été une témérité bien grande à moi, que les coups de bâton que je...

GÉRONTE

Laissons cela.

SCAPIN

J'ai en mourant, une douleur inconcevable des coups de bâton que...

GÉRONTE

Mon Dieu, tais-toi.

SCAPIN

Les malheureux coups de bâton que je vous...

GÉRONTE

Tais-toi, te dis-je, j'oublie tout.

SCAPIN

Hélas, quelle bonté ! Mais est-ce de bon cœur, Monsieur, que vous me pardonnez ces coups de bâton que...

GÉRONTE

Eh oui. Ne parlons plus de rien ; je te pardonne tout, voilà qui est fait.

SCAPIN

Ah, Monsieur, je me sens tout soulagé depuis cette parole.

GÉRONTE

Oui ; mais je te pardonne, à la charge que [1] tu mourras.

SCAPIN

Comment, Monsieur ?

GÉRONTE

Je me dédis de ma parole, si tu réchappes.

SCAPIN

Ahi, ahi. Voilà mes faiblesses qui me reprennent.

ARGANTE

Seigneur Géronte, en faveur de notre joie, il faut lui pardonner sans condition.

GÉRONTE

Soit.

ARGANTE

Allons souper ensemble, pour mieux goûter notre plaisir.

SCAPIN

Et moi, qu'on me porte au bout de la table, en attendant que je meure [2].

FIN.

---

1. À condition que.
2. Dans la mise en scène de Jean-Louis Benoît, Philippe Torreton (Scapin) retire à la fin son bandage pour souligner qu'il s'agit là d'une ultime fourberie de la part de Scapin, selon une tradition de mise en scène. La mise en scène de Denis Podalydès ne propose pas cette lecture, mais se conclut par une mélodie mélancolique évoquant le *memento mori* avant qu'une accélération du rythme rassure par sa gaîté et confirme bien le genre comique de la pièce.

DOSSIER

« *Vive la fourberie, et les fourbes aussi*[1] » : *éloge de la fourberie*

L'art de la fourberie est l'un des traits caractéristiques du valet de comédie français[2], surtout lorsque le personnage hérite aussi de son homologue italien, l'ingénieux *zano*[3]. Dans les comédies qui recourent à ce type, les valets deviennent les meneurs de jeu et mettent leur maîtrise de la ruse au service des amours de leurs maîtres. Cette maîtrise s'accompagne bien souvent d'un discours sur le plaisir de la fourberie et la fierté d'y exceller. Avant Scapin, qui l'exprime explicitement (I, 2), d'autres valets de Molière font preuve à la fois de cette compétence et d'une forme d'orgueil à ourdir des stratagèmes pour duper leurs victimes. Versant féminin du fourbe, l'entremetteuse peut aussi être à l'origine de ruses et de stratagèmes dont elle se vante. Dans le sillage de Molière, les dramaturges du XVIIIe siècle ont également composé des petites comédies dont l'intrigue repose essentiellement sur l'industrie d'un valet fourbe et fier de l'être.

---

1. Molière, *L'Étourdi*, I, 7, v. 362.
2. Gérard Gouvernet, *Le Type du valet chez Molière et ses successeurs Regnard, Dufresny, Dancourt et Lesage*, New York, Peter Lang, 1985.
3. Claude Bourqui, *La Commedia dell'arte : introduction au théâtre professionnel italien entre le XVIe et le XVIIIe siècle*, nouvelle éd. revue et augmentée, Armand Colin, 2011.

LES PRÉCÉDENTS CHEZ MOLIÈRE

On rapproche souvent Scapin d'un fourbe qui l'a pré-
cédé, le Mascarille de *L'Étourdi ou les Contretemps*, comédie en cinq actes que Molière a créée en 1662 [1]. À onze
reprises, l'ingénieux Mascarille, joué par Molière lui-
même, met en place des stratagèmes au service de son
maître Lélie pour servir ses amours. Dans ce passage,
Mascarille s'exhorte à agir, pour continuer de mener à
bien ses projets malgré les incessantes maladresses de son
maître.

MASCARILLE, *seul.*
Taisez-vous, ma bonté, cessez votre entretien ;
Vous êtes une sotte, et je n'en ferai rien
Oui, vous avez raison, mon courroux, je l'avoue ;
Relier tant de fois ce qu'un brouillon dénoue,
C'est trop de patience ; et je dois en sortir
Après de si beaux coups qu'il a su divertir [2].
Mais aussi, raisonnons un peu sans violence ;
Si je suis maintenant ma juste impatience,
On dira que je cède à la difficulté,
Que je me trouve à bout de ma subtilité ;
Et que deviendra lors cette publique estime,
Qui te vante partout pour un fourbe sublime,
Et que tu t'es acquise en tant d'occasions,
À ne t'être jamais vu court d'inventions ?
L'honneur, ô Mascarille, est une belle chose :

1. Le texte source de *L'Étourdi*, une comédie italienne intitulée
L'Inavvertito, overo Scappino disturbato, e Mezzettino travagliato
[L'Étourdi ou Scapin troublé et Mezzetin tracassé], écrite par Niccolò
Barbieri en 1629, contenait d'ailleurs un personnage de valet du nom
de Scapin.
2. Dévier, éviter, c'est-à-dire, ici, faire échouer.

À tes nobles travaux ne fais aucune pause ;
Et quoi qu'un maître ait fait pour te faire enrager,
Achève pour ta gloire, et non pour l'obliger.

Molière, L'Étourdi ou les Contretemps, 1662, III, 1.

Un peu plus tôt dans la pièce, comme Scapin, Mascarille est sûr de triompher et se considère comme un maître en matière de fourberie.

Après ce rare exploit, je veux que l'on s'apprête
À me peindre en Héros, un laurier sur la tête,
Et qu'au bas du portrait on mette en lettres d'or
Vivat Mascarillus, fourbum Imperator[1].

Molière, L'Étourdi ou les Contretemps, 1662, II, 8.

Dans une autre petite comédie, *Le Sicilien ou l'Amour peintre*, le valet Hali – interprété non par Molière, mais par La Thorillière – est à la manœuvre pour assurer le succès des amours de son maître, Adraste, amoureux d'une esclave grecque retenue chez Don Pèdre. Les efforts du valet doivent permettre à l'amant de parler quelques instants à la belle Isidore sans que le jaloux Don Pèdre s'en aperçoive. Un sentiment de défi anime le fourbe :

ADRASTE – Quoi ? tous nos soins seront donc inutiles ? Et toujours ce fâcheux jaloux se moquera de nos desseins.

HALI – Non : le courroux du point d'honneur me prend ; il ne sera pas dit qu'on triomphe de mon adresse ; ma qualité de fourbe s'indigne de tous ces obstacles, et je prétends faire éclater les talents que j'ai eus du Ciel.

ADRASTE – Je voudrais seulement que, par quelque moyen, par un billet, par quelque bouche, elle fût avertie

---

1. Vive Mascarille, empereur des fourbes.

des sentiments qu'on a pour elle, et savoir les siens là-dessus. Après, on peut trouver facilement les moyens…

HALI – Laissez-moi faire seulement : j'en essayerai tant de toutes les manières, que quelque chose enfin nous pourra réussir.

Molière, *Le Sicilien ou l'Amour peintre*, 1667, scène 5.

LA FIGURE DE L'ENTREMETTEUSE OU LE PERSONNAGE DE FOURBE AU FÉMININ

Parmi la galerie de personnages de Molière, on pourrait aussi rapprocher Scapin de la figure de l'entremetteuse, avec laquelle il partage l'ingéniosité et *la vanité du fourbe*. Dans *L'Avare*, c'est Frosine, désignée dans la liste des personnages comme « femme d'intrigue », qui a tous les talents pour duper Harpagon. Cet irrévocable avare a en outre le tort de vouloir épouser la jeune fille dont est amoureux son propre fils. Frosine va le tromper avec ruse et va se montrer confiante en son talent qu'elle nomme « l'art de traire les hommes ». Elle témoigne alors de son don d'entremetteuse en des termes proches de ceux des valets fourbes :

LA FLÈCHE – Ah ! ah ! c'est toi, Frosine. Que viens-tu faire ici ?

FROSINE – Ce que je fais partout ailleurs : m'entremettre d'affaires, me rendre serviable aux gens, et profiter du mieux qu'il m'est possible des petits talents que je puis avoir. Tu sais que dans ce monde il faut vivre d'adresse, et qu'aux personnes comme moi le Ciel n'a donné d'autres rentes que l'intrigue et que l'industrie.

Molière, *L'Avare*, 1668, acte I, scène 4.

À plusieurs reprises dans ses comédies, Molière a exploité le thème de la fourberie à travers des personnages ingénieux qui font avancer l'action par leur ruse et s'en montrent fiers. On pourrait aussi intégrer à cette catégorie de personnage le valet Covielle dans *Le Bourgeois gentilhomme*, à l'origine de la grande mascarade finale visant à tromper Monsieur Jourdain, ou encore Scribani, qui n'est pas un valet mais un fourbe professionnel dans *Monsieur de Pourceaugnac* et qui a l'idée de ruses successives pour dégoûter le ridicule provincial du mariage qu'un père mal avisé envisagé pour sa fille. Scapin peut toutefois être considéré comme un archétype dans la mesure où l'intrigue repose entièrement sur lui, au point qu'il devient le personnage éponyme et qu'il est quasiment omniprésent dans les trois actes de cette petite comédie [1].

POSTÉRITÉ DE LA FOURBERIE

Jean-François Regnard est un dramaturge de la fin du siècle ayant produit de nombreuses comédies à destination des troupes françaises et italiennes. Dans la petite comédie *La Sérénade*, Léonore refuse le prétendant que sa mère lui destine car elle veut épouser son amoureux Valère. Le valet de ce dernier, que Regnard nomme à son tour Scapin, prête main-forte à son maître par la mise en place de plusieurs ruses et revendique malicieusement avoir reçu du ciel un don d'entremetteur :

> SCAPIN – Monsieur, le ciel m'a donné des talents merveilleux pour faire des mariages ; et je puis dire, sans vanité,

---

1. Voir Présentation, p. 28.

qu'il n'y a guère de jour qu'il ne m'en passe quelqu'un par les mains. J'en ai même ébauché plus de mille en ma vie qui n'ont jamais été achevés ; mais j'aime trop la propagation de l'espèce, pour avoir le courage d'en rompre aucun.

Regnard, *La Sérénade*, 1694, scène 5,
disponible sur theatre-classique.fr.

Alain René Lesage est quant à lui un auteur du début du XVIIIe siècle qui a commencé sa carrière littéraire par le théâtre. *Crispin, rival de son maître* est sa première pièce, une petite comédie en un acte qui a remporté un grand succès. Deux valets y mettent en place un stratagème, non pour aider les maîtres, cette fois, mais pour récupérer la dot de la jeune fille. Crispin est à la tête de la manipulation et, comme Silvestre dans les *Fourberies*, La Branche entre dans son stratagème pour le seconder.

> VALÈRE – Et Lisette, entre-t-elle dans ce stratagème ?
> CRISPIN – Oui, Monsieur, elle agit de concert avec nous.
> VALÈRE – Ah ! Crispin, que ne te dois-je pas !
> CRISPIN – Demandez par plaisir à ce garçon-là si je joue bien mon rôle.
> LA BRANCHE – Ah ! Monsieur, que vous avez là un domestique adroit ! C'est le plus grand fourbe de Paris ; il m'arrache cet éloge : je ne le seconde pas mal à la vérité ; et si notre entreprise réussit, vous ne m'aurez pas moins d'obligation qu'à lui.

Alain René Lesage, *Crispin, rival de son maître*, 1707,
scène 17, disponible sur theatre-classique.fr.

Ces personnages ingénieux qui opèrent dans différents contextes dramatiques ont en commun de doter la fourberie d'une valeur positive : celle-ci est perçue comme un talent, voire un art, toujours mis au service de l'action dramatique.

De nos jours, lorsque nous pensons aux fourberies que l'ingénieux Scapin met en œuvre, nous imaginons celles que le spectateur voit se dérouler sur scène : les deux ruses visant à détourner l'argent des vieillards et le jeu du sac. Les éditions scolaires et universitaires (celle de Jean Serroy notamment) dénombrent et décrivent ainsi les ruses que le valet prépare et exécute sous l'œil du public. Il est curieux de remarquer que, du temps de la première réception de la comédie, les contemporains ont davantage retenu le récit des fourberies passées que Scapin révèle à l'acte II scène 3. En témoignent deux documents proches de la création de la pièce : le compte rendu de la représentation que le gazetier Robinet livre dans sa lettre du 30 mai 1671, et le frontispice réalisé par Pierre Brissart pour l'édition de la comédie au sein des *Œuvres complètes* publiées en 1682. En revanche, dès 1674, Boileau fait de l'épisode du sac la scène emblématique de la petite comédie de Molière.

Les « ruses et petits tours » évoqués par Robinet sont principalement ceux que Scapin révèle à Léandre sous la menace des coups d'épée : ils sont ainsi décrits sur seize vers tandis que la fourberie de la bourse est brièvement racontée. Robinet n'évoque le reste des ruses qu'à travers l'allusif « et cætera », avant de louer l'excellente distribution des rôles et le talent de leurs interprètes.

À Paris, pour finir enfin,
On ne parle que d'un Scapin
Qui surpasse défunt l'espiègle [1]
(Sur qui, tout bon enfant se règle)
Par ses ruses et petits tours
Qui ne sont pas de tous les jours.
Qui vend une montre à son maître
Qu'à sa maîtresse il doit remettre,
Et lui jure que des filous
L'on prise en le rouant de coups,
Qui, des Loups-garous, lui suppose,
Dans un dessein qu'il se propose
De lui faire, tout à son gré,
Rompre le cou sur son degré,
Pour l'empêcher de courre en ville,
Et l'arrêter au domicile.
Qui boit certain bon vin qu'il a
Puis accuse de ce fait-là
La pauvre et malheureuse ancelle [2],
Que pour lui, le maître querelle [3].
Qui sait deux pères attraper,
Et par des contes bleus [4] duper,
Si qu'il en escroque la bourse,
Qui, de leurs fils, est la ressource.
Qui fait, enfin, et cætera :
Et cet étrange Scapin là
Est Molière en propre personne,
Qui, dans une pièce qu'il donne,

---

1. Il s'agit sans doute là d'une référence à la mort de l'acteur italien Trivelin, annoncée dans une lettre du même Robinet le 2 mai de la même année, soit quelques jours avant cette critique : voir site « Naissance de la critique dramatique ».
2. Servante.
3. Dispute.
4. Des fictions.

Depuis dimanche, seulement,
Fait ce rôle admirablement,
Tout ainsi que la Thorillière,
Un furieux porte-rapière,
Et la grande actrice, Beauval,
Un autre rôle jovial
Qui vous ferait pâmer de rire,
À moins, je ne vous saurais dire,
Que vous ne fussiez affligé
De la forte migraine et du chagrin que j'ai.

Charles Robinet, *Lettres en vers à Monsieur*, 1671,
Mazarine, 296-A5-RES.

L'illustration de Pierre Brissart pour les *Œuvres complètes* de Molière confirme cette lecture de l'époque. On sait que les frontispices ne visaient pas forcément à illustrer une scène précise des comédies mais plutôt à synthétiser les éléments scéniques qui avaient marqué les spectateurs. En 1682, ce n'est pas la scène du sac ou celle de la galère, aujourd'hui identifiées comme emblématiques de la petite comédie qui sont retenues mais, comme chez Robinet, les aveux que Scapin est contraint de faire sur ses fourberies antérieures à la pièce.

Juste après la mort de Molière, la réception des fourberies prend un tournant décisif par l'intermédiaire de Boileau [1]. Dans le chant III de son *Art poétique*, ce dernier analyse le genre de la comédie après avoir longuement traité de la tragédie. Alors qu'il adresse des conseils aux auteurs voulant s'essayer à l'art comique, il évoque *Les Fourberies de Scapin* et focalise l'attention sur la scène du sac.

Étudiez la cour et connaissez la ville :
L'une et l'autre est toujours en modèles fertile.

---

1. Voir Présentation, p. 19.

C'est par là que MOLIÈRE, illustrant ses écrits,
Peut-être de son art eût remporté le prix,
Si, moins ami du peuple, en ses doctes peintures,
Il n'eût point fait souvent grimacer ses figures,
Quitté, pour le bouffon, l'agréable et le fin,
Et sans honte à Térence allié Tabarin.
Dans ce sac ridicule où Scapin s'enveloppe,
Je ne reconnais plus l'auteur du *Misanthrope*.

Nicolas Boileau, *L'Art poétique* [1674], chant III, Les
Caractères d'Ulysse, 2010, p. 201, v. 399-400.

L'évolution rapide des perceptions critiques souligne l'importance croissante que prennent la scène du sac et le comique gestuel lié au *lazzo* de bastonnade. Sans doute les premiers spectateurs de Molière y étaient-ils également sensibles. Grâce à un effort de défamiliarisation avec cette scène si célèbre aujourd'hui, on peut toutefois inscrire également le comique du passage dans une autre tradition comique.

P.B. d.   J.S. f.

LES FOURBERIES DE SCAPIN.

Pierre Brissart, Frontispice publié dans les *Œuvres complètes* de
Molière, 1682

3 — *La scène du sac et le comique du travestissement langagier*

Le comique de l'épisode du sac repose aussi sur la prononciation sur scène de langues étrangères ou de dialectes, un procédé comique récurrent dans les pièces des années 1660-1670 et qui requiert une compétence d'acteur spécifique[1]. Dans la scène 2 du troisième acte, Scapin prend tour à tour l'identité et l'accent d'un spadassin gascon – rejoignant par là une tradition littéraire attestée[2] – avant de s'improviser basque[3]. C'est l'occasion de créer des jeux de scène comiques fondés sur les écarts entre le français parisien, qui constitue la norme pour le public de l'époque, et ses déformations par des étrangers ou des provinciaux. Molière et les dramaturges de son époque, notamment les comédiens-auteurs, ont ainsi créé avec succès des « rôles en langue [s'appuyant] sur le talent de quelques

---

1. Voir F. Cavaillé et B. Louvat, « Les compétences linguistiques des comédiens professionnels au XVIIᵉ siècle », *Littératures classiques*, n° 87, 2015, p. 317-332.

2. Voir J. Emelina, « Les gens du Midi dans le théâtre de Molière », dans C. Alranq (dir.), *Molière et les Pays d'Oc*, Perpignan, Presses universitaires de Perpignan, 2005, p. 93-112, et P. Martel, « Il y a Gascon et Gascon, ou le ballet des ethnotypes », *Littératures classiques*, n° 87, 2015, p. 259-263.

3. Nous nous intéressons ici principalement au phénonème comique lié aux travestissements linguistiques, mais il est clair que dans les *Fourberies* comme dans certains extraits cités, ce procédé comique s'ajoute à une satire du provincial, également à la mode à cette époque.

comédiens [1] » pour faire rire le public en faisant entendre des accents ou des langues pseudo-étrangères. Ce comique langagier est en outre souvent mobilisé dans le cadre d'une fourberie pour tromper la victime désignée (le père ou le prétendant au mariage qu'il faut évincer).

Dans *L'Étourdi*, pour l'une de ses fourberies, l'ingénieux Mascarille se fait passer pour un Suisse afin de tromper Andrès, un rival de son maître venu délivrer l'esclave Célie. Cela donne l'occasion à Molière d'exploiter un comique lié à la prononciation, sans doute exagérée, d'un accent suisse dont le texte imprimé transcrit de manière codifiée les transformations phonétiques.

ANDRÈS

Seigneur suisse, êtes-vous de ce logis le maître ?

MASCARILLE

Moi, pour serfir à fous.

ANDRÈS

Pourrons-nous y bien être ?

MASCARILLE

Oui, moi pour d'estrancher chappon champre garni ;
Mais ché non point locher te gent te méchant vi.

ANDRÈS

Je crois votre maison franche de tout ombrage.

MASCARILLE

Fous nouviau dant sti fil, moi foir à la fissage.

ANDRÈS

Oui.

MASCARILLE

La matame est-il mariage al montsieur ?

---

1. F. Cavaillé et B. Louvart, « Les compétences linguistiques des comédiens professionnels au XVIIe siècle », art. cité, p. 323.

ANDRÈS

Quoi ?

MASCARILLE

S'il être son fame, ou s'il être son sœur ?

ANDRÈS

Non.

MASCARILLE

Mon foi, pien choli. Finir pour marchandisse,
Ou pien pour temanter à la palais choustice ?
La procès il fault rien : il coûter tant tarchant !
La procurair larron, la focat pien méchant.

ANDRÈS

Ce n'est pas pour cela.

MASCARILLE

Fous tonc mener sti file
Pour fenir pourmener, et recarter la file ?

ANDRÈS

Il n'importe. Je suis à vous dans un moment.
Je vais faire venir la vieille promptement,
Contremander [1] aussi notre voiture prête.

MASCARILLE

Li ne porte pas pien ?

ANDRÈS

Elle a mal à la tête.

MASCARILLE

Moi, chavoir de pon fin et de fromage pon.
Entre fous, entre fous dans mon petit maisson.

Molière, *L'Étourdi ou les Contretemps*, 1662, V, 3.

La transformation du français à des fins comiques est aussi exploitée dans *Monsieur de Pourceaugnac*. Le

----

1. Annuler.

personnage éponyme est la victime de nombreuses fourberies fomentées par tous ceux qui, favorables à l'amour de Julie et Éraste, s'opposent au mariage entre Monsieur de Pourceaugnac et Julie, que le père de celle-ci a autoritairement décidé. L'une des ruses consiste à accuser Monsieur de Pourceaugnac de polygamie : deux femmes se présentent successivement en déclarant être l'épouse et la mère de ses nombreux enfants. À la scène 7 de l'acte II, le personnage de Lucette – interprété sans doute par Armande Béjart – joue le rôle d'une Languedocienne et use d'une pseudo-langue d'oc pour tromper Oronte et Monsieur de Pourceaugnac. Dans la scène 8, c'est Nérine et son faux accent picard qui intervient. Ces deux scènes successives – nous ne présentons ici que la scène 7 mais la suivante joue sur le même type de comique – créent une forme de « coexistence euphorique des langues » sur le modèle de la *commedia dell'arte*, qui exploite volontiers le comique lié au plurilinguisme présenté sur scène [1].

> LUCETTE – Ah ! Tu es assy, et à la fy yeu te trobi aprés abé fait tant de passés. Podes-tu, scélérat, podes-tu sousteni ma bisto ?
>
> MONSIEUR DE POURCEAUGNAC – Qu'est-ce que veut cette femme-là ?
>
> LUCETTE – Que te boli, infame ! Tu fas semblan de nou me pas counouysse, et nou rougisses pas, impudent que tu sios, tu ne rougisses pas de me beyre ? Nou sabi pas, Moussur, saquos bous dont m'an dit que bouillo espousa la fillo ; may yeu bous declari que yeu soun sa fenno, et que y a set ans, Moussur, qu'en passan à Pezenas el auguet l'adresse dambé sas mignardisos, commo sap tapla fayre, de me gaigna lou cor, et m'oubligel pra quel mouyen à ly douna la ma per l'espousa.

1. C. Bourqui, « *Monsieur de Pourceaugnac* et les enjeux de la prononciation du français », *Littératures classiques*, n° 87, 2015, p. 166.

ORONTE – Oh ! Oh !

MONSIEUR DE POURCEAUGNAC – Que diable est-ce ci ?

LUCETTE – Lou trayté me quitel trés ans aprés, sul pre-teste de qualques affayrés que l'apelabon dins soun païs, et despey noun ly resçauput quaso de noubelo ; may dins lou tens qui soungeabi lou mens, m'an dounat abist, que begnio dins aquesto bilo, per se remarida danbé un autro jouena fillo, que sous parens ly an proucurado, sensse saupré res de sou prumié mariatge. Yeu ay tout quitat en diligensso, et me souy rendudo dins aqueste loc lou pu leu qu'ay pouscut, per m'oupousa en aquel criminel mariatge, et confondre as ely de tout le mounde lou plus méchant des hommes.

MONSIEUR DE POURCEAUGNAC – Voilà une étrange effrontée !

LUCETTE – Impudent, n'as pas honte de m'injuria, alloc d'estre confus day reproches secrets que ta conssiensso te deu fayre ?

MONSIEUR DE POURCEAUGNAC – Moi, je suis votre mari ?

LUCETTE – Infame, gausos-tu dire lou contrari ? He tu sabes be, per ma penno, que n'es que trop bertat ; et plagu-esso al Cel qu'aco nou fougesso pas, et que m'auquessos layssado dins l'estat d'innoussenço et dins la tranquillitat oun moun amo bibio daban que tous charmes et tas troun-pariés nou m'en benguesson malhurousomen fayre sourty ! Yeu nou serio pas reduito à fayré lou tristé perssounatgé qu'yeu fave presentomen, à beyre un marit cruel mespresa touto l'ardou que yeu ay per el, et me laissa sensse cap de pietat abandounado à las mourtéles doulous que yeu res-senty de sas perfidos acciûs.

ORONTE – Je ne saurais m'empêcher de pleurer. Allez, vous êtes un méchant homme.

MONSIEUR DE POURCEAUGNAC – Je ne connais rien à tout ceci.

Molière, *Monsieur de Pourceaugnac*, 1669, acte II, scène 7.

Un an auparavant, la visite des ambassadeurs russes à Paris en 1668 avait, en tant que fait d'actualité, donné envie au comédien-auteur Raymond Poisson de s'essayer à son tour à ce type de comique. Il a ainsi composé plusieurs petites comédies entre 1660 et 1670 et est un auteur et un comédien reconnu sur la scène parisienne pour ses talents en matière de comique. Dans cette petite comédie des *Faux Moscovites*, l'intrigue est réduite au minimum – un gentilhomme paie des filous pour l'aider à enlever la jeune fille qu'il souhaite épouser ; ces filous ont l'idée de se faire passer pour de faux Moscovites afin de détourner l'attention du père de la jeune fille – car l'intérêt de toute la pièce réside précisément dans ce jeu de scène reposant sur une pseudo-langue russe. Contrairement aux autres textes cités, la version imprimée ne retranscrit pas une feinte langue étrangère – hormis les « hyo, hyo » – mais le texte souligne le jeu d'acteur par les didascalies et les réactions des personnages. Poisson incarne Lubin et improvise sans doute en partie la scène, ce qui rapproche le passage des canevas de la *commedia dell'arte* :

LA MONTAGNE

Vous êtes dispensé de lui faire harangue

LUBIN, *il baragouine.*

GORGIBUS

Mais que demande-t-il ? je n'entends pas sa langue.

LA MONTAGNE

Il demande les lieux.

GORGIBUS
Est-ce là ce qu'il dit ?

Le bassin, le bourlet [1], tout est auprès son lit.

---

1. Les « lieux » désignent les lieux d'aisance, tandis que le « bassin » et le « bourrelet » renvoient à la bassine et au coussin constitutifs d'une chaise percée.

LA MONTAGNE

Il demande les lieux où l'on prétend le mettre.

GORGIBUS

Ah ! je vais l'y mener, s'il me le veut permettre.

LUBIN, *ici, il baragouine.*

GORGIBUS

Mais s'il voulait dîner auparavant.

LUBIN

Hyo, hyo.

GORGIBUS

Est-ce qu'il veut manger ?

LUBIN

Hyo, hyo, hyo.

LA MONTAGNE

Voilà en peu de mots tout ce qu'il vous demande.

GORGIBUS

J'ai de fort bons perdreaux, aime-t-il cette viande ?

LUBIN, *il jargonne.*

Yo, yo, yo.

GORGIBUS

Dit-il pas qu'il le hait et qu'ils ne valent rien ?

LUBIN

La peste, non, je dis que je les aime bien. Yo, yo.

JOLICŒUR

Hé traître ! que fais-tu ?

GORGIBUS

J'entends bien ce langage.

LUBIN

Faites-lui donc savoir que j'aime tout, j'enrage.

JOLICŒUR

Ne parle plus français, ne dis qu'yo, yo, yo.

GORGIBUS

D'un grand cochon de lait, et d'un gros aloyau,
En mangerait-il bien ?

LUBIN

Yo, yo, yo.

GORBIBUS

Il ne boit que de l'eau, rien n'est plus pitoyable.

LUBIN

Je parlerai français, ou je me donne au diable.

LA MONTAGNE

L'eau pour le grand Seigneur est pire qu'un poison.

LUBIN

Je bois mon vin tout pur au moins, yo yo.

GORGIBUS

Il a raison.

Le vin pur en effet est un jus bien aimable.
Il en boira de bon, le mien est admirable.

LUBIN, *jargonnant.*

Yo, yo, yo

GORGIBUS

Quand il veut franciser, on l'entend assez bien,
Mais quand il moscovise, on n'y comprend plus rien.
Voilà le dîner prêt, il peut se mettre à table.
Des sièges.

LUBIN, *fait un long jargon coupant les viandes
et les présentant aux autres.*

JOLICŒUR

Cracq.

LA MONTAGNE

Criq.

LUBIN, *en avalant, il baragouine.*

Croq.

JOLICŒUR

Le cochon est, dit-il, admirable.

LUBIN, *il baragouine longtemps le verre à la main.*

LA MONTAGNE, *aux Dames*

Il boit à votre santé.

M. AMINTHE

Que ce langage est sot !
Quoi ! parler si longtemps [1] pour ne dire qu'un mot ?

Raymond Poisson, *Les Faux Moscovites*, 1669, scène 11.

En se doublant d'une fourberie linguistique, la scène du sac s'inscrit donc dans une mode déjà éprouvée à plusieurs reprises par Molière. D'autres auteurs comiques contemporains ont eu recours à ce comique langagier, notamment les comédiens-auteurs qui, tout comme Molière, devaient percevoir le succès assuré de ces jeux de scène sur le public parisien, fier de pratiquer le « bon usage » de la langue française et avide de se moquer des provincialismes et des accents étrangers.

---

1. Ce jeu de scène rappelle celui que Molière propose dans *Le Bourgeois gentilhomme* : « tant de choses en deux mots ? » (IV, 4).

CHRONOLOGIE

Cette chronologie a été complétée à partir de celle établie par Lise Michel dans son édition des *Femmes savantes* (GF Flammarion, 2018) et de celle établie par Bénédicte Louvat et Jean Leblanc pour *Le Malade imaginaire* (GF Flammarion, 2020). Les dates indiquées ci-après pour les pièces sont celles de leur création.

CHRONOLOGIE

	CONTEXTE POLITIQUE ET HISTORIQUE	VIE ET ŒUVRE DE MOLIÈRE ET DE SA TROUPE
1563	Concile de Trente. Le décret du « Tametsi » précise que l'autorité parentale n'est pas nécessaire pour valider la promesse de mariage.	
1606	Naissance de Pierre Corneille à Rouen.	
1608	Naissance de Tiberio Fiorilli à Naples.	
1610	Avènement de Louis XIII. Début de la régence de Marie de Médicis (jusqu'en 1617).	
1618		Naissance de Madeleine Béjart.
1621		Mariage à l'église Saint-Eustache à Paris de Jean Poquelin et Marie Cressé, futurs parents de Jean-Baptiste.
1622		15 janvier : Naissance et baptême à l'église Saint-Eustache de Jean-Baptiste Poquelin.
1624	Richelieu devient le principal ministre d'État de Louis XIII.	
1629	Création à Paris de *Mélite*, première comédie de Corneille. De 1629 à 1634, Corneille compose plusieurs comédies et renouvelle le genre comique.	

1631	En Italie, Niccolò Barbieri publie *L'Inavvertito, overo Scappino disturbato, e Mezzettino travagliato.*	Jean Poquelin succède à son frère Nicolas à la charge de valet de chambre et tapissier du roi.
1635	Fondation de l'Académie française.	Jean-Baptiste entre au collège de Clermont (actuel Louis-le-Grand) à Paris.
1636	Naissance de Nicolas Boileau à Paris.	
1637	Corneille, *Le Cid.*	Jean-Baptiste prête serment en tant que futur successeur de la charge de tapissier de son père.
1638	Naissance du Dauphin, futur Louis XIV.	
1639	Naissance de Jean Racine.	
1640		Études de droit à Orléans.
1641	Édit royal levant officiellement l'infamie des comédiens.	
1641 ou 1642		Naissance d'Armande Béjart.
1642	Mort de Richelieu.	

	CONTEXTE POLITIQUE ET HISTORIQUE	VIE ET ŒUVRE DE MOLIÈRE ET DE SA TROUPE
1643	Mort de Louis XIII. Début de la régence d'Anne d'Autriche.	Jean-Baptiste renonce provisoirement à la charge de tapissier du roi de son père, au profit de son frère cadet. Il la reprendra en 1660. Fondation de l'Illustre Théâtre. Jean-Baptiste Poquelin est l'un des signataires, avec les Béjart. Installation de la troupe au Jeu de paume des Métayers à Paris.
1644	Destruction par incendie du théâtre du Marais.	Première apparition du nom de Molière dans un contrat. La troupe est entretenue par Gaston d'Orléans.
1645	Création de *Jodelet ou le Maître valet* de Scarron. Plusieurs pièces « à Jodelet » voient le jour dans les années qui suivent : *Les Trois Dorothée ou Jodelet souffleté* (1646), Le Métel d'Ouville, *Jodelet astrologue* (1646), *Don Japhet d'Arménie* (1647) ; Thomas Corneille, *Le Geôlier de soi-même ou Jodelet Prince* (1655).	Faillite de l'Illustre Théâtre. Départ pour l'ouest et le sud de la France.
1647	Rotrou, *La Sœur*. La pièce est ensuite publiée chez Quinet, Toussaint, Sommaville et Courbé. Isaac Lemaistre de Sacy, *Comédies de Térence, traduites en français, avec le latin à côté et rendues très honnêtes*.	

1646	Création de *Don Japhet d'Arménie* de Scarron à l'Hôtel de Bourgogne, l'une des pièces qui, avec *Le Gouvernement de Sanche Pansa* de Guérin de Bouscal, seront les plus jouées par la troupe de Molière après son retour à Paris en 1658.	Madeleine Béjart et Molière rejoignent la troupe de Charles Dufresne, protégée par le duc d'Épernon, gouverneur de la Guyenne.
1648	Début de la Fronde.	
1649	Georges et Madeleine de Scudéry, *Artamène ou le Grand Cyrus* (jusqu'en 1653).	
1650	Mort de Descartes. Vogue des comédies à l'espagnole en France.	
1652		La troupe est protégée par le prince de Conti.
1653	Fin de la Fronde. Paix des Pyrénées entre la France et l'Espagne. Benserade et Lully, *Ballet royal de la nuit*. Le jeune Louis XIV interprète notamment le Soleil levant.	*L'Étourdi* (Lyon). La comédie ne sera publiée qu'en 1662.
1654	Cyrano de Bergerac, *Le Pédant joué*. La pièce est ensuite publiée chez Sercy.	
1656		Dépit amoureux (Béziers).
1657		Conti retire son patronage.

	CONTEXTE POLITIQUE ET HISTORIQUE	VIE ET ŒUVRE DE MOLIÈRE ET DE SA TROUPE
1658	Réédition de Cyrano de Bergerac, *Le Pédant joué*.	Printemps : Séjour de la troupe à Grenoble et à Rouen. Rencontre avec Corneille. Octobre : Arrivée à Paris. La troupe devient Troupe de Monsieur (Philippe d'Orléans, frère du roi). Le roi l'autorise à jouer dans la salle du Petit-Bourbon, partagée avec les comédiens italiens.
1659	Michel de Marolles publie une traduction des comédies de Térence.	Départ des Italiens. Molière engage Jodelet et Charles Varlet, dit La Grange. *Les Précieuses ridicules* (Petit-Bourbon) est un succès triomphal. Cela lance la vogue des petites comédies. La troupe de Molière joue 26 fois *L'Étourdi* au cours de la saison avril 1659-mars 1660.
1660	Mariage de Louis XIV et de Marie-Thérèse d'Autriche. La Mothe le Vayer publie *Derniers petits traités en forme de lettres*.	*Sganarelle ou le Cocu imaginaire* (Petit-Bourbon). Démolition de la salle du Petit-Bourbon. Attribution à la troupe de la salle du Palais-Royal.
1661	Mort de Mazarin. Début du règne personnel de Louis XIV. Disgrâce de Fouquet, surintendant des Finances.	*Don Garcie de Navarre*. La pièce est un échec. *L'École des maris*. *Les Fâcheux*, création à Vaux-le-Vicomte.

1662	Dorimond publie *L'Inconstance punie* (comédie qui présente un personnage dénommé Scapin).	Mariage de Molière avec Armande Béjart. Les Italiens reviennent. Ils partagent désormais le Palais-Royal avec la troupe de Molière. La troupe de Molière joue *La Sœur* de Rotrou à plusieurs reprises. *L'École des femmes* (Palais-Royal) est un succès et déclenche la publication, l'année suivante, des deux comédies sur la réception de *L'École des femmes*. Premier séjour de la troupe à la cour.
1663	Réédition de Cyrano de Bergerac, *Le Pédant joué* au sein des *Œuvres diverses de monsieur de Cyrano de Bergerac*, chez Sercy.	*La Critique de l'École des femmes* (Palais-Royal). *L'Impromptu de Versailles* (Versailles).
1664		*Le Mariage forcé* (Louvre). Début de la collaboration avec Lully. Création de *La Thébaïde* de Racine par la troupe de Molière. Baptême de Louis, fils de Molière, dont le parrain est Louis XIV.

	CONTEXTE POLITIQUE ET HISTORIQUE	VIE ET ŒUVRE DE MOLIÈRE ET DE SA TROUPE
1665	Colbert devient contrôleur général des Finances. Mort de Philippe IV d'Espagne et préparation de la guerre de Dévolution. Le *Traité de la comédie* de Pierre Nicole paraît pour la première fois.	Mai : Fêtes des plaisirs de l'Île enchantée (Versailles). À cette occasion, création de *La Princesse d'Élide* et du *Tartuffe* qui soulève une polémique et est interdit.
1666	Mort d'Anne d'Autriche. Les *Satires* de Boileau entraînent une querelle. Alliance avec la Hollande contre l'Angleterre (guerre franco-anglaise). *Dissertation sur la condamnation des théâtres* de l'abbé d'Aubignac. Parution du *Traité de la comédie et des spectacles*, du prince de Conti.	*Le Festin de Pierre* [*Dom Juan*] (Palais-Royal). La troupe devient « Troupe du roi » et non plus « Troupe de Monsieur ». *L'Amour médecin* (Versailles).
		Le Misanthrope (Palais-Royal). *Le Médecin malgré lui* (Palais-Royal). *Mélicerte* (Saint-Germain).
1667	Guerre de Dévolution.	*La Pastorale comique* et *Le Sicilien* sont créées au sein du *Ballet des Muses* (Saint-Germain).

1668	Fin de la guerre de Dévolution	Grand Divertissement royal, à l'occasion duquel est créé *George Dandin ou Le Mari confondu* (Versailles).
	Racine, *Les Plaideurs*.	
	Poisson, *Le Poète basque* : un personnage de cette comédie est appelé Scapin ; cette comédie joue sur les accents régionaux.	*Amphitryon* (Palais-Royal).
	La Fontaine, *Fables*.	*L'Avare* (Palais-Royal).
	Parution de *Idées des spectacles anciens et nouveaux* de l'abbé de Pure, ouvrage dans lequel le théoricien acte la naissance de la petite comédie comme genre.	
1669	Réédition des *Comédies de Térence* traduites par Le Maître de Sacy.	*Monsieur de Pourceaugnac* (Chambord).
	Racine, *Britannicus*. Junie séduit Néron par ses larmes.	Autorisation définitive de jouer *Le Tartuffe*.
1670	Racine, *Bérénice*.	*Les Amants magnifiques* (Saint-Germain).
	Corneille, *Tite et Bérénice*.	*Le Bourgeois gentilhomme* (Chambord).
	Enregistrement de la grande ordonnance de Saint-Germain-en-Laye pour la réformation de la Justice.	
1671	Perrin et Cambert, *Pomone*, premier opéra français.	*Psyché* (Tuileries puis Palais-Royal).
	Guerre franco-hollandaise (jusqu'en 1673).	*La Comtesse d'Escarbagnas* (Saint-Germain).
	Rosimond, *La Dupe amoureuse*.	

	CONTEXTE POLITIQUE ET HISTORIQUE	VIE ET ŒUVRE DE MOLIÈRE ET DE SA TROUPE
	Tanneguy Lefèvre propose une traduction des comédies de Térence.	18 mars : Molière obtient un privilège général pour l'ensemble de son œuvre. La troupe se dote d'un orchestre permanent de douze violons. Mlle Beauval (et son rire communicatif) rejoint la troupe. Hiver : travaux de rénovation du Palais-Royal. *Les Fourberies de Scapin* (Palais-Royal).
1672		
		Lully renonce à continuer la collaboration avec Molière et obtient un monopole sur les pièces comportant de la musique. 17 février : Mort de Madeleine Béjart. *Les Femmes savantes* (Palais-Royal).
1673		*Le Malade imaginaire* (Palais-Royal). 17 février : Mort de Molière. La salle du Palais-Royal est attribuée à Lully. La troupe de Molière est réunie avec celle du Marais, au théâtre Guénégaud.
1674	Nicolas Boileau publie son *Art poétique* dans lequel apparaît le célèbre vers sur les *Fourberies*.	

CHRONOLOGIE

BIBLIOGRAPHIE SÉLECTIVE

ŒUVRES DU XVIIe siècle

BERGERAC, Cyrano DE, *Le Pédant joué*, Paris, Sercy, 1647.

BOILEAU, Nicolas, *L'Art poétique*, Paris, Denys Thierry, 1674.

DORIMOND, *L'Inconstance punie*, Paris, Quinet, 1671.

MOLIÈRE, *Les Fourberies de Scapin*, Paris, Pierre Le Monnier, 1671.

MOLIÈRE, *Les Fourberies de Scapin*, éd. J. Serroy, Librairie générale française, 1999.

MOLIÈRE, *Les Fourberies de Scapin*, éd. G. Couton, Gallimard, « Bibliothèque de la Pléiade », 1991.

MOLIÈRE, *Les Fourberies de Scapin*, éd. G. Conesa dans les *Œuvres complètes*, éd. G. Forestier et C. Bourqui, Gallimard, « Bibliothèque de la Pléiade », 2010.

RACINE, Jean, *Les Plaideurs*, Paris, Barbin, 1669.

ROTROU, Jean, *La Sœur*, Paris, Quinet, 1647.

ROSIMOND, *La Dupe amoureuse*, Paris, Bienfait, 1671

ÉTUDES SUR MOLIÈRE OU LE THÉÂTRE DU XVIIe siècle

ALBANESE, Ralph, *Molière à l'école républicaine : de la critique universitaire aux manuels scolaires*, Saratoga, ANMA Libri, 1992.

BOURQUI, Claude, *Les Sources de Molière. Répertoire critique des sources littéraires et dramatiques*, SEDES, 1999.

BOURQUI, Claude et VINTI, Claudio, *Molière à l'école italienne*, L'Harmattan, 2003.

BOURQUI, Claude, *La Commedia dell'arte : introduction au théâtre professionnel italien entre le XVIᵉ et le XVIIIᵉ siècle*, nouvelle éd. revue et augmentée, Armand Colin, 2011.

CALLEJA-ROQUE, Isabelle, *Molière, un héros national de l'école*, Grenoble, UGA éditions, 2020.

CANDIARD, Céline, *Esclaves et valets vedettes dans les comédies de la Rome antique et de la France d'Ancien Régime*, Honoré Champion, 2017.

CANOVA, Marie-Claude, *La Comédie*, Hachette, 1993.

CONESA, Gabriel, *La Comédie à l'âge classique 1630-1715*, Seuil, 1995.

CONESA, Gabriel (dir.), *L'Esthétique de la comédie*, Klincksieck, 1995.

CONESA, Gabriel et EMELINA, Jean (dirs), *Les Mises en scène de Molière du XXᵉ siècle à nos jours*, Pézenas, Domens, 2007.

DANDREY, Patrick, *Molière ou L'Esthétique du ridicule*, Klincksieck, 1992.

EMELINA, Jean, *Les Valets et les servantes dans le théâtre comique en France de 1660 à 1700*, Grenoble, Presses universitaires de Grenoble, 1975.

EMELINA, Jean, « Les gens du Midi dans le théâtre de Molière », dans C. Alranq (dir.), *Molière et les Pays d'Oc*, Perpignan, Presses universitaires de Perpignan, 2005, p. 93-112.

FORESTIER, Georges, *Esthétique de l'identité dans le théâtre français, 1550-1680 : le déguisement et ses avatars*, Genève, Droz, 1988.

FORESTIER, Georges, *Molière*, Bordas, « En toutes lettres », 1990.

FORESTIER, Georges, *Molière*, Gallimard, « Biographies NRF », 2018.

GOUVERNET, Gérard, *Le Type du valet chez Molière et ses successeurs Regnard, Dufresny, Dancourt et Lesage*, New York, Peter Lang, 1985.

GUARDIA, Jean DE, *Poétique de Molière. Comédie et répétition*, Genève, Droz, 2007.

GUICHEMERRE, Roger, *La Comédie avant Molière, 1640-1660*, Eurédit, 2009.

LOCHERT, Véronique, *L'Écriture du spectacle. Les didascalies dans le théâtre européen aux XVIe et XVIIe siècles*, Genève, Droz, 2009.

LOUVAT, Bénédicte (dir.), *Français et langues de France dans le théâtre du XVIIe siècle*, *Littératures classiques*, n° 87, 2015.

PIOT, Coline, « "Farce" ou "petite comédie" : les enjeux du processus d'identification d'un nouveau genre (1660-1670) », dans A. Cayuela et M. Vuillermoz (dirs), *Les Mots et les choses du théâtre, France, Italie, Espagne, XVIe-XVIIe siècles*, Genève, Droz, 2017, p. 157-174.

PIOT, Coline « L'effet moral de la comédie de l'âge classique et son rapport au rire du spectateur dans les discours sur le genre comique », *Fabula/ Les colloques*, « Le rire : formes et fonctions du comique », 2017.

PIOT, Coline, *Rire et comédie. Émergence d'un nouveau discours sur les effets du théâtre au XVIIe siècle*, Genève, Droz, 2020.

SPIELMANN, Guy, *Le Jeu de l'ordre et du chaos : comédie et pouvoirs à la fin de règne, 1673-1715*, Honoré Champion, 2002.

STERNBERG-GREINER, Véronique, *Le Comique*, GF-Flammarion, 2003.

VOLTZ, Pierre, *La Comédie*, Armand Colin, 1964.

SITOGRAPHIE

ALONGE, Tristan, BOURQUI, Claude, MICHEL, Lise, PIOT, Coline, SCHUWEY, Christophe, et SOUCHIER, Marine,

Naissance de la critique dramatique : disponible sur : www.ncd17.ch [base de données sur la critique théâtrale et les discours de spectateurs au XVIIe siècle].

BOURQUI, Claude, FORESTIER, Georges, GEFEN, Alexandre, et MICHEL, Lise, *Molière21* : disponible sur : www.moliere.huma-num.fr [base de données intertextuelle].

FILMOGRAPHIE

Captation de la Comédie-Française, *Les Fourberies de Scapin*, mise en scène Jean-Louis Benoit, 1998.

Captation de la Comédie-Française, *Les Fourberies de Scapin*, mise en scène Denis Podalydès, 2017.

TABLE

━━━

Les Fourberies de Scapin

Cet ouvrage a été mis en pages par

<pixellence>

N° d'édition : L.01EHPN001090.N001
Dépôt légal : avril 2022
Imprimé en Espagne par Novoprint (Barcelone)